Nouveaux contes zen

DU MÊME AUTEUR

Quelqu'un derrière la porte, Médiaspaul, 1990
Les Oiseaux pour sourire et rêver, L'Harmattan, 1994
Guide de relaxation pour ceux qui n'ont pas le temps, Éditions du Seuil, 1996
Restez zen : La Méthode du chat, Éditions du Seuil, 1998
Prières pour ceux qui n'ont pas le temps, Éditions de l'Atelier, 1999
Les Plus Beaux Contes zen, suivis de *L'Art des haïkus*, Éditions Calmann-Lévy, 1999
Les Plus Beaux Contes zen (t.II) : *La Grue cendrée*, Éditions Calmann-Lévy, 2000
Les Plus Beaux Contes zen (t.III) : *Le Bonheur zen*, Éditions Calmann-Lévy, 2001
Je confie mes traces aux nuages , Éditions Calmann-Lévy, 2002
Contes zen, Librio n°503
La relaxation, c'est facile, Librio n°561

Henri Brunel

Nouveaux contes zen

Texte intégral

Les contes qui composent ce recueil sont extraits des trois ouvrages de Henri Brunel parus aux Éditions Calmann-Lévy : *Les Plus Beaux Contes zen* , *La Grue cendrée* et *Le Bonheur zen*

L'éléphanteau royal

Cette histoire est maintenant du passé.

Un Mahãrãdjãh possédait une troupe d'éléphants. Konia en était le plus bel ornement, la robe d'un doux gris clair, l'œil malicieux sous les lourdes paupières et d'adorables oreilles triangulaires. Konia avait noué des liens d'amitié avec son cornac, un jeune garçon nommé Shivi. Il fallait voir comment elle le saisissait à la ceinture et, d'un seul mouvement de sa trompe, précis et doux, elle le déposait près de son cou. Quand Shivi faisait de brefs appels de ses orteils nus à la base de son oreille, avec docilité Konia avançait, quand il lui frottait le flanc de haut en bas de son talon, elle reculait. L'agile cornac descendait à terre vingt fois le jour en glissant le long de son oreille droite, vingt fois elle le remontait d'un élégant mouvement de sa trompe enroulée. Ils travaillaient en si parfaite harmonie qu'on eût dit en les voyant quelque figure de ballet.

La vie suivait ainsi paisiblement son cours. Mais un certain printemps, Konia tomba amoureuse d'un éléphant, un mâle superbe qui avait en charge le palanquin royal. Drik, personnage officiel, ne pouvait contracter mariage sans l'approbation de Sa Majesté. On consulta les oracles, Konia était de sang noble, de caractère aimable, l'union fut approuvée.

Trois ans plus tard, toute la cour était en émoi : Konia allait accoucher. Or, l'éléphanteau se présentait mal et tardait à naître. Le Mahãrãdjãh alerté demanda qu'on l'informât heure par heure. À la fin de la matinée, la trompe, la tête, le corps étaient sortis, mais la queue restait coincée. Le soir venu, la situation n'avait pas changé. On réunit un conseil d'urgence. Les ministres, les courtisans, le grand chambellan donnaient leur avis. De temps en temps on faisait appeler Shivi, le cornac :

« Alors ? demandait Sa Majesté.

— Rien de nouveau, Sire, la queue est toujours coincée ! »

Et la discussion reprenait. La nuit avançait, le conseil était surexcité et désemparé, quand le grand chambellan s'écria :

« Sire, la situation est trop grave ! Je suggère que l'on fasse venir Mara la sorcière.

— Ce n'est pas possible ! Cette femme a insulté la belle-mère de notre grand Mahãrãdjãh en ne s'inclinant pas sur son passage ! Elle est bannie à jamais de la cour ! »

Le roi trancha :

« Qu'elle vienne à l'instant ! »

On obtempéra. La magicienne, après avoir longuement ausculté la malheureuse parturiente, rendit son verdict :

« L'éléphanteau sera délivré, sa queue décoincée si l'on trouve dans tout le royaume une femme qui n'ait jamais aimé que son mari et qui n'ait jamais eu de tendres pensées pour un autre que lui. »

Le conseil délibéra... longtemps. Enfin le choix se porta sur Rajna, une beauté aux yeux doux et tristes, réputée pour sa sagesse, épouse d'un grand seigneur de la cour.

« As-tu jamais aimé un autre homme que ton mari ?

— Non, Sire, répondit Rajna d'une voix douce et timide.

— As-tu jamais rêvé à un autre homme que lui ?

— Non, Sire !

— Que l'on aille chercher le cornac ! ordonna le roi.

— Alors ? interrogea le conseil, fébrile, d'une seule voix.

— Rien n'a changé, dit le cornac accablé, la queue est toujours coincée. »

À ce moment, de sous son voile, la douce Rajna parla :

« Je me souviens maintenant, dit-elle d'une voix étouffée, que passant par hasard dans la cour du palais, j'ai vu une fois ce jeune homme avec son éléphante, et il était si adroit, que... conclut-elle dans un sanglot, mon cœur pendant une seconde a battu pour lui. »

À cet instant, une rumeur parvint jusqu'à la grande salle du conseil :

« Hourra ! La queue est enfin décoincée, l'éléphanteau royal est né ! »

Sur l'étoffe de l'Atma[1], où nous brodons jour après jour la tapisserie de nos vies, la moindre tache se voit, tout manifeste Brahma.

Les pousses de bambou

Le bambou est une plante tropicale miraculeuse. Une tige légère, résistante, élastique, propre à tous les usages. Perche pour les acrobates, canne ou bâton qui sert aux maîtres zen pour rappeler à l'ordre les disciples endormis ou distraits. Le bambou se plie docilement en forme de panier, de claie, de vase et même de tambour. Avec certaines espèces, on fabrique des meubles, avec d'autres, au Japon, en Chine, on construit des villages entiers. Une espèce singulière précoce et charnue est appelée « bambou Môzô ». Elle doit son nom à un certain Môzô qui vécut en Chine, dans la circonscription de Kiang-Hia de l'ancien royaume de Wou[2], au IIIe siècle de notre ère. Voici l'histoire de Môzô, telle que nous l'ont transmise les siècles passés.

Môzô, orphelin de père, vivait seul avec sa mère à qui il vouait une grande piété filiale. Employé aux travaux publics, c'était un scribe modèle qui calligraphiait à merveille, et chacun l'appréciait pour sa modestie et son zèle. Pendant ses heures de liberté, il courait la campagne afin de ramasser une espèce de bambou particulière, dont les pousses grosses et tendres constituent un mets raffiné. Sa mère en raffolait.

Il arriva un jour où sa mère ne put avaler un seul repas sans qu'il y eût en entrée des pousses fraîches de bambou. Môzô courait les champs, les bois, l'hiver et l'été pour offrir à sa mère ses pousses de bambou préférées.

« Ah ! mon fils, disait-elle, si je ne pouvais manger mes pousses de bambou, moi qui n'ai plus goût à rien depuis la mort de votre père, je crois que je me laisserais mourir ! »

Et Môzô courait la campagne, explorait les champs, les prés, la lisière des forêts, et il rapportait tous les jours à sa mère les pousses de bambou qu'elle aimait.

Or, cette année-là, dans le royaume de Wou, l'hiver fut exceptionnellement rigoureux. La neige tomba en abondance. Le sol était gelé. Môzô courait plus que jamais par les champs et les bois, dénichant les pousses de bambou où nul autre que lui n'en aurait trouvé. Il en cueillait sous les congères, au creux des forêts, partout. Mais un soir, il revint chez lui les mains vides. Sa mère refusa de manger. Les jours suivants, Môzô rentra bredouille et désespéré :

« Mère, je fais de mon mieux, je cours du nord au sud, d'est en ouest, mais tant que cette neige persistera, je ne pourrai vous offrir les pousses de bambou que vous chérissez. Je vous en prie, consentez à manger. »

Mais la mère de Môzô ne répondait pas. Elle refusait de s'alimenter, elle ne buvait ni ne mangeait, et elle commença de dépérir. Le ciel était bleu, froid, implacable, et toute la campagne durcie sous la neige gelée. Alors, un matin, Môzô désespéré se tourna vers le ciel :

« Depuis des années, se lamenta-t-il, matin et soir, du nord au sud, d'est en ouest, j'ai cherché partout les pousses de bambou. Pas un seul jour je n'ai manqué d'en apporter à ma mère, afin qu'elle ne meure, et aujourd'hui je ne puis en trouver. » Il se tordait les mains, accablé, et il fixait le jardin devant la maison, et la neige froide, indifférente à son chagrin.

À ce moment, comme il était à genoux, implorant le ciel, il aperçut au milieu du tapis blanc trois pousses violettes perçant la neige. Trois pousses de bambou ! Il les cueillit et les apporta à sa mère. Celle-ci mangea et but, et fut sauvée. Depuis lors, ce bambou s'appelle au Japon comme en Chine le « bambou Môzô ». Il est le symbole de la piété filiale.

❧

Bouddha est dans une pousse de bambou autant que dans l'immensité du ciel :

Leur fraîcheur,
l'oublier on ne saurait,
les bambous de l'année[3].

Ryōkan

Gobuki et le dragon

Tous les pays, toutes les civilisations relatent, chacun à sa façon, la même histoire de héros et de dragon. C'est le combat mythique du Bien et du Mal, de la jeunesse et du courage terrassant le monstre abominable, du Juste écrasant la Tarasque. Le Zen à son tour reprend le thème millénaire. Mais il le traite différemment.

Il était une fois un jeune homme pauvre et bien fait, qui était renommé pour sa bravoure. En ce temps-là vivait dans la montagne une sorte d'ogre, un monstre, qui interdisait le passage aux voyageurs terrorisés. Les paysans racontaient à la veillée ses horribles méfaits. Nul ne connaissait son aspect, car personne n'était revenu vivant de la montagne. Gobuki déclara qu'il irait affronter la bête. On essaya de l'en dissuader, la jeune fille qui l'aimait pleura, se jeta à son cou, rien n'ébranla sa détermination, son courage. Les plus avisés des paysans lui fournirent des armes : un bâton, une fourche. Le seigneur du lieu ajouta une lance et une épée, un soldat une lourde pique. Ainsi harnaché, Gobuki partit seul dans la montagne. Il marcha trois jours, enfin, le matin du quatrième, il se présenta seul devant la caverne où habitait le monstre. Celui-ci sortit bientôt, grondant et crachant des flammes. Il était horrible à voir. Mais Gobuki, fièrement campé, ne recula pas d'un pouce.

Ils demeurèrent ainsi quelques instants à se dévisager. Le temps était comme suspendu, dans l'attente du drame. Enfin, le monstre s'écria :

« Pourquoi ne t'enfuis-tu pas comme les autres ?
— Je n'ai pas peur de vous ! dit Gobuki.
— Je vais te dévorer ! rugit le monstre.
— Si vous voulez, regardez, je dépose mes armes sur le sol, le bâton, la fourche, la lance, l'épée, et la lourde pique de soldat, je sais que vous ne me toucherez pas.
— Mais enfin, pourquoi est-ce que je ne te terrorise pas ? interrogea le monstre, stupéfait.
— Je suis l'Atma, je suis la Réalité universelle, je suis *cela*. Si vous me dévorez, c'est que vous êtes fou, car vous vous dévorez vous-même. Nous sommes *un*. Mais je vous en prie, si vous voulez le faire, je suis à votre disposition. »

Le monstre, abasourdi, s'écria :

« Je ne comprends rien à ce que tu dis, mais avec toi tout devient trop compliqué. Les autres s'enfuient en hurlant de peur, je les poursuis, je les tue, je les dévore. Tout est simple. Là, je ne sais plus ce que je dois faire. Tout compte fait, je préfère m'abstenir, je crois que mon estomac ne supporterait pas un être aussi bizarre que toi. Je t'en prie, reprends tes armes et va-t'en ! »

Et il se retira, nauséeux et chagrin, dans sa caverne.

La bannière et le vent

Le Zen va droit devant lui. Il ne donne pas d'explication, il suggère seulement. On connaît l'anecdote fameuse du disciple qui questionne le maître :

« Quelle est la vraie nature du Bouddha ?

— Le cyprès dans la cour. »

Le Zen unit le visible et l'invisible, l'humble quotidien et la réalité ultime, le relatif et l'*absolu*. Le « cyprès dans la cour », la fleur devant soi, le caillou sous nos pas sont les chemins qui mènent à l'au-delà, de l'au-delà, du par-delà.

Par un bel après-midi de printemps, un maître zen rentre de promenade. Le temps est délicieux, ni chaud, ni froid, un temps d'équilibre et de grâce auquel l'âme spontanément s'accorde. Une légère brise souffle et, en arrivant face au portail du monastère, le maître constate que la bannière à l'effigie du Bouddha faseye doucement au vent. Deux jeunes novices sont plantés devant.

« C'est la bannière qui bouge !

— Non, c'est le vent !

— Selon la bonne doctrine, ce qui importe, c'est ce que nous voyons devant nous maintenant. Et c'est la bannière, et elle bouge !

— Pas du tout, ta vision est erronée, car l'agitation de la bannière n'est que la conséquence du vent, c'est lui la cause première, la réalité au-delà de l'apparence.

— Mais l'existence du vent est une hypothèse !

— La bannière ne bouge pas sans motif, sa réalité est constitutive du vent !

— Pure spéculation !

— Évidence !

— Non, pas du tout !

— Mais si ! »

Les deux moines s'échauffent, ce qui n'était qu'une conversation aimable devient une dispute, une bataille. Peu s'en faut qu'ils n'en viennent aux mains. C'est alors qu'ils aperçoivent le maître du temple, qui les regarde, impassible. Un peu confus, ils se tournent vers lui :

« Maître, est-ce la bannière qui bouge, est-ce le vent ?

— Ce n'est pas la bannière, ce n'est pas le vent, c'est votre esprit qui bouge. »

« Le Zen est un mystère. Dès l'instant où une pensée le touche, il disparaît[4]. »

Une nonne très singulière

Un vieux maître zen aimait cette histoire.

« Ce conte sera un moment important sur votre chemin de sagesse... », et il souriait en disant ces mots, avec malice, aux jeunes novices.

Si vous aviez connu la ville de Nara en ce temps-là ! Nara « la verdoyante, la fleur embaumée », joyau de l'île de Honshū, la capitale religieuse du Japon. Entre ses murs vivaient des centaines de nonnes et de moines. Partout fleurissaient les sanctuaires, chapelles, pagodes à plusieurs étages, temples célèbres. Le plus connu de tous était le merveilleux temple de Todaidji. Lors des grandes fêtes bouddhiques, l'empereur lui-même assistait aux cérémonies. Ce jour-là, toute la ville était en liesse. Une foule immense se répandait dans les ruelles autour du temple, les bateleurs, les montreurs de marionnettes, les mimes, les acrobates rivalisaient d'adresse, amusaient les badauds de leurs tours.

Soudain un bruit courait : « L'empereur, l'empereur ! » Les soldats armés de lourdes piques écartaient la foule, et le cortège s'avançait : l'empereur richement vêtu d'or sur son palanquin, entouré d'une nuée de courtisans, de ministres, de chambellans et de bonzes. Les parfums d'encens embaumaient l'air, et les chants accompagnaient d'une musique céleste la lente progression du cortège impérial vers le grand portique du temple, que surmontait le magnifique Bouddha laqué resplendissant de mille lumières.

« C'étaient de merveilleuses fêtes ! disait le maître zen, songeur.

— Le conte, Maître, le conte ! » suppliaient les jeunes novices.

Le maître souriait : « Le lieu et le moment font partie du conte, soyez attentifs, la sagesse ne se livre pas aux impatients. »

Or, en ce temps-là, il arriva qu'un moine tombât éperdument amoureux d'une nonne. Ryonen était belle, d'une beauté radieuse, à la fois éclatante et mystérieuse. Son teint, son port de tête, son allure, tout dans son physique charmant éblouissait, mais elle y joignait une intelligence pénétrante, un caractère décidé, et une générosité, une attention aux autres, qui l'éclairaient d'une lumière intérieure. Ryonen aurait pu rendre fous d'amour les plus sages des hommes, et des moines peut-être... Hashino l'aimait d'un amour déraisonnable, exacerbé. Il ne mangeait ni ne dormait, il était distrait pendant les cérémonies rituelles, il était obsédé, il ne voyait qu'elle, ne vivait que pour elle, il courait à sa perte. Une nuit, il franchit le pas, commit le crime suprême, il s'introduisit dans sa cellule de moniale, et la supplia de l'aimer.

Ryonen tint alors le destin de Hashino entre ses mains. Il eût suffi qu'elle crie, qu'elle appelle ses sœurs, et le pire serait advenu. Mais elle ne se débattit point, ne manifesta aucun étonnement. Elle dit seulement au novice, qui brûlait de désir : « Je me donnerai à toi, demain. »

Le jour suivant était jour de grande fête. À l'occasion de l'Illumination du Bouddha, l'empereur assistait aux offices. C'est là, dans le sanctuaire du temple de Todaidji, qu'elle apparut à Hashino complètement nue :

« Prends-moi, dit-elle, maintenant ! »

Alors Hashino vécut le *Satori,* l'Éveil. Comme dans ces dessins où la forme et le fond changent en un éclair de place, il vit la réalité jusque-là cachée. Il sut que son amour était artificiel, fantasmatique, ses désirs fous semblables aux reflets changeants de la lune sur l'eau. Le voile de l'illusion s'était déchiré. Il accéda à la racine du moi, à la vérité, à la paix.

Le vêtement de lumière

Il était une fois un pauvre pêcheur nommé Hakyu Ryu, qui prenait fort peu de poissons et subsistait à grand-peine. Il vivait seul, n'étant pas assez fortuné pour prendre femme, dans une misérable cabane, située près d'une belle forêt de pins, au pied du mont Fuji Yama, dont le sommet est recouvert de neiges éternelles. Devant sa porte s'étendait une longue plage de sable blanc, et il contemplait jusqu'à l'horizon le bleu éclatant de l'océan Pacifique. Hakyu appréciait ce paysage enchanteur, et il rêvait souvent. Cela l'aidait à vivre.

Un matin de printemps, il traversait la forêt de pins lorsqu'il aperçut accroché à une branche un vêtement magnifique; il était fait de plumes légères argentées et dorées, l'étoffe semblait tissée de lumière, et Hakyu en fut comme étourdi. Tenté, il hésita, jeta un coup d'œil alentour. Il était seul. Il prit le vêtement, le porta dans sa cabane, et le dissimula sous un tas de bois. Le soir, sur son tatami, avant de glisser dans le sommeil, il calcula les bénéfices que lui procurerait son larcin. « J'irai demain au marché, je vendrai ce vêtement un bon prix, j'achèterai des filets neufs et solides, peut-être une barque, je ferai ainsi de belles pêches, je deviendrai un homme riche, alors je prendrai femme... » Sur ces visions merveilleuses, il s'endormit.

Pendant la nuit, il fit un rêve. Une très belle jeune fille lui apparut : « Je suis un ange, dit-elle, je viens des cieux pour visiter le monde. Mais vous avez pris mon vêtement, et je ne puis retourner au ciel sans ma robe. Je vous en supplie, rendez-la moi ! »

Hakyu l'interrompit :

« Je ne comprends rien à vos paroles, je ne vous ai pas dérobé votre robe, que je n'ai jamais vue ! Mais puisque vous êtes dans ma maison à cette heure de la nuit, venez donc partager ma couche. » Et, saisi d'un brusque désir, il l'enlaça et voulut l'embrasser. C'est alors qu'il se réveilla. Ce rêve lui laissa un goût amer dans la bouche, et il eut honte. « Comment ! se dit-il, je vole un vêtement magnifique, je mens à la jeune fille à qui il appartient, et je veux la contraindre à partager ma couche. » Il se souvint d'un vieux maître zen dont il avait suivi les enseignements dans sa jeunesse. « Il n'y aura ni paix ni bonheur pour toi si tu ne pratiques la justice, si tu t'écartes de la vérité, si tu n'éprouves pas de compassion. » Hakyu décida alors de rechercher partout la jeune fille, et de n'avoir de repos qu'il ne lui ait restitué son vêtement de lumière.

Le lendemain de très bonne heure, il se rendit sur la plage, scruta l'horizon, en vain. Il s'approcha du bois de pins, et là, sous un arbre, il aperçut la jeune fille de son rêve qui pleurait. Il lui rendit son vêtement. Elle le remercia avec beaucoup de joie et d'effusions. Quand elle revêtit sa robe de lumière, elle se transforma et devint un ange qui s'éleva doucement dans les cieux en dansant avec une grâce inouïe. Le théâtre Nô représente souvent cette danse de l'ange. C'est un spectacle extraordinaire, l'un des plus beaux que l'on puisse imaginer. Hakyu le vit le premier, et il tomba en extase. Il rentra dans sa cabane. Les jours suivants, il prit autant de poisson que ses filets pouvaient en contenir. Il se maria, il eut de nombreux enfants, et tous vécurent heureux longtemps, longtemps.

Est-ce un conte zen, un conte de fées ? La « morale » semble classique, on pourrait l'exprimer ainsi : « La sincérité, l'équité, la compassion sont des vertus récompensées. Il ne faut pas voler. » Mais ce conte nous dit une autre chose, symbolisée par le vêtement de lumière qui, seul, permet d'accéder au ciel et magnifie toute réalité. Chacun suivra ici le silence, et son intuition.

« Maître, la lune claire et paisible brille tellement haut dans le ciel !

— Oui, elle est très loin !

— Maître, aidez-moi à m'élever jusqu'à elle.

— Pourquoi ? Ne vient-elle pas à toi ? »

Un âne en Chine

Il était une fois un paisible baudet du Poitou, que des circonstances fortuites entraînèrent sur les mers. Le bateau où il avait embarqué en compagnie de trente de ses congénères, quatre-vingts vaches et veaux, et nombre de moutons, coqs et poules, fit naufrage dans l'océan Pacifique. Le hasard des courants le jeta à demi mort sur un rivage de Chine. Là, il dut survivre, selon l'herbe, et les méandres des rivières. C'est ainsi qu'une année après la catastrophe, il broutait tranquillement au cœur de la forêt de Tian.

Les habitants ordinaires de la forêt, singe, renard, et Sa Seigneurie le tigre, n'avaient jamais connu d'animal semblable. Le singe le premier l'observa du haut d'un arbre :

« Il s'apparente au cheval, dit-il à ses compagnons, mais il est plus petit, plus poilu. Ses oreilles sont grandes, la queue mince comme un fouet s'achève par une touffe.

— Et que fait-il ?

— Il broute, il broute inlassablement.

— A-t-il des intentions belliqueuses ? interrogea le renard, toujours prudent.

— Quant à moi, je ne crains guère les mangeurs d'herbe, déclara Sa Seigneurie le tigre, et, haussant dédaigneusement les épaules, il se recoucha.

— C'est-à-dire… fit le singe en hésitant, je me suis approché de cet animal étrange, et je l'observais, dissimulé dans le feuillage épais d'un camphrier, quand il a brusquement levé la tête vers le ciel, et poussé un cri assourdissant, horrible, épouvantable ! Je suis parti aussi vite que je l'ai pu, et me voici... conclut-il piteusement.

— Hum ! fit le renard, je vais me glisser dans les herbes, et aller voir cela de plus près. Viendrez-vous avec moi, Seigneur ? demanda-t-il poliment au Seigneur tigre.

— Bof », fit ce dernier, en jouant avec ses griffes redoutables.

Le renard s'approcha de l'endroit où maître Aliboron continuait de brouter. Au bruit léger qu'il fit, l'âne leva la tête, et lança à tout hasard un braiment tonitruant. Le renard affolé, qui n'avait jamais ouï de pétarade aussi éclatante, se sauva à toutes pattes.

Il fit son rapport à Sa Seigneurie le tigre.

« Bon, dit le félin, il faut donc que j'aille voir cela par moi-même ! » Et il se leva paresseusement, car il avait fort bien dîné la veille d'une grasse antilope. Il se dirigea vers la prairie, où l'âne, qui ne se doutait de rien, broutait à loisir, choisissant ici et là les herbes qui flattaient son palais, ajoutant de temps en temps quelque chardon bien épineux, en guise de délicates épices.

Le tigre avançait souplement. Quand il fut tout proche, l'âne détecta une présence insolite parmi les fourrés, il lança un braiment d'avertissement. Au bruit formidable, le félin recula d'un pas. Mais il se ressaisit. Je suis le tigre, le Seigneur de ces lieux, s'encouragea-t-il, et il s'approcha de nouveau à foulées prudentes. Alors l'âne, les flancs creusés pour mieux expulser l'air, la tête levée vers les cieux, les naseaux dilatés, la queue droite, les oreilles haut dressées, lança trois fois de suite un braiment étourdissant, phénoménal, audible à des kilomètres : « HI HAN, HI HAN, HI HAN... ! »

Le tigre, cette fois, eut vraiment peur. « Il va me dévorer », se dit-il, et, toute honte bue, il s'enfuit vers sa demeure.

Il était presque arrivé chez lui quand un reste d'orgueil lui cingla les reins : « Je vais affronter ce monstre, gronda-t-il dans sa moustache. Je le dois à mes glorieux ancêtres, et, dussé-je en périr, je ne faillirai pas à l'honneur ! » Armé d'un noble courage, Sa Seigneurie le tigre revint dans le pré, où l'âne du Poitou, paisiblement, broutait. Le félin s'installa à l'orée des arbres, et bien dissimulé, il attendit. L'animal étrange broutait toujours. De temps en temps, soit qu'il eût détecté une présence inconnue, soit pour se distraire, ou pour s'éclaircir le gosier, il lançait vers les nues son braiment sonore. Le tigre, peu à peu, s'habituait à ce bruit stupéfiant, qui n'était suivi d'aucun effet. Et les heures du jour passèrent. L'âne broutait, le tigre guettait. La nuit était presque venue quand le Seigneur de la jungle osa s'approcher. L'âne émit un braiment indigné, qui remplit de crainte les bêtes de la forêt. Le tigre recula d'un pas, et de nouveau s'avança. Le baudet, importuné, lança une ruade, que le tigre évita facilement. Le manège se renouvela plusieurs fois. Le tigre s'approchait, l'âne ruait dans le vide. « Bon, se dit le tigre, qui progressivement se rassurait, cet animal bizarre n'est pas dangereux. Il possède le tonnerre dans son gosier, mais c'est tout ce qu'il sait faire ! » Et la peur le quitta.

Le Zen nous enseigne à voir la réalité, sans a priori, sans la déformer, sans projeter sur elle nos fantasmes, à l'« accueillir », telle qu'elle *est*. C'est le chemin de l'Éveil.

Le dieu de la mer

Dans le vieux Japon, le moine pèlerin colportait de province en province, de village en village, les contes édifiants, venus de l'Inde fabuleuse ou de la Chine lointaine. Le saint homme s'installait dans la salle sombre. Quelques braises rougeoyaient dans le foyer; autour de lui, les paysans formaient cercle, et il commençait par le rituel familier: « Voici ce que j'entendis... »

Un homme, qui avait femme et enfants, s'en allait travailler aux champs. Il portait sur l'épaule une binette, et ses habits étaient ceux d'un paysan. En chemin, une femme jeune et très gracieuse l'arrêta:

« Épouse-moi, lui dit-elle. Je le veux, et rien ne pourra m'en détourner. » Après avoir un peu hésité, l'homme, subjugué par sa grande beauté, accepta. La belle femme lui dit:

« Je veux te montrer ma demeure, et te présenter à mon père. »

L'homme la suivit. Elle le mena sur la plage:

« Entre dans l'océan! » fit-elle.

L'homme recula, effrayé. Mais elle lui dit:

« Nous nous tiendrons par le bras, tu n'as rien à craindre. »

Ils s'enfoncèrent dans les flots, parcoururent un long chemin et arrivèrent enfin devant un palais magnifique. La belle femme présenta l'homme à son père qui était le dieu de la mer.

« Voici le mari, que j'ai trouvé.

— Sois mon gendre désormais », consentit le dieu. Et ainsi fut fait.

Or, l'homme continuait apparemment son existence ordinaire. Il vivait avec femme et enfants. Mais quand il partait le matin, sa binette sur l'épaule, au lieu d'aller travailler dans les champs, il se dirigeait vers l'océan, et descendait dans le merveilleux palais de la mer. Les choses allèrent ainsi, quelque temps. Un jour, la femme eut des soupçons. Elle suivit son mari. Elle le vit entrer dans l'océan, elle y pénétra à son tour, et s'aventura dans le palais au fond des eaux. Les gardes la surprirent. Ils s'apprêtaient à la jeter en pâture à des poissons affamés quand le mari intervint :

« C'est ma femme de la terre, dit-il, la mère de mes enfants. Je vais la ramener à la maison. »

Arrivé dans sa demeure, l'homme expliqua à sa femme :

« J'ai épousé la fille du dieu de la mer. Notre fils premier-né est en âge de me remplacer aux champs. Quant à moi, je dois vous quitter, je n'appartiens plus à ce monde, désormais. »

« Chacun de nous, conclut le moine pèlerin, est en vérité un dieu dans le palais de la mer. C'est ce que veut dire ce conte. Vous n'en entendrez pas davantage aujourd'hui. »

Yamamba

Le Zen nous déprend de nos façons ordinaires de penser. Il nous transmet, au-delà des concepts, des mots, une vérité qui pointe directement au cœur de l'homme.

Il était une fois... deux moines, qui s'en allaient rejoindre leur couvent près d'Edo[5]. Ils avaient été retardés par un couple de paysans, qui leur avait demandé de bénir leur fils nouveau-né, et leur maison, et le troupeau. Ils avaient bu par politesse, et charité de cœur, une ou deux coupes de saké. Maintenant, ils se trouvaient à la lisière de la forêt, et déjà la nuit tombait.

Or, l'un des deux moines était aveugle et son compagnon le guidait :

« Ne crains rien, Djiro ! dit le moine éclaireur, nous allons devoir traverser la forêt, où vivent, selon les légendes, monstres et sorcières, mais j'ouvre l'œil, et je te protégerai contre tous les dangers. »

Et il ajouta, d'une voix qu'il raffermissait :

« Tiens mon bras, et avançons hardiment ! »

Les deux moines parvenaient au cœur de la forêt, quand soudain une tarasque abominable sortit d'un fourré. C'était Yamamba, la vieille sorcière édentée, l'effrayante dame des bois. Elle était immense, avec de grandes narines, un nez monstrueux, des yeux injectés de sang où semblaient tournoyer des roues de feu. Sa langue rouge écarlate pendait jusqu'à sa taille. Ses cheveux gris et sales flottaient au vent. Elle avait de très longs bras de squelette terminés par des griffes cauchemardesques, et ses pieds velus frappaient le sol avec rage. Le moine qui servait de guide se mit à trembler de tous les os de son corps.

« Qu'as-tu, mon frère, je n'entends plus ta voix, et je te sens chanceler contre moi, parle-moi, je t'en prie ! »

Le moine clairvoyant, paralysé de terreur, ne pouvait émettre aucun son. Et l'horrible Yamamba s'avançait toujours, elle tendait vers les deux moines ses griffes acérées ; ses yeux rougeoyaient, et sa bouche se tordait en un rire épouvantable.

« Je sens que tu n'es pas bien, dit l'aveugle, je ne comprends pas pourquoi, mais laisse-moi te soutenir et te guider à mon tour, appuie-toi sur moi ! » Et d'un pas ferme, l'aveugle entraîna son compagnon en direction de Yamamba, qu'il ne voyait pas.

Le monstre stupéfait vit les deux moines s'avancer droit sur lui. Ils ne manifestaient aucune peur et semblaient indifférents à son aspect effroyable. Alors Yamamba tira son énorme langue rouge et visqueuse hors du gouffre de sa bouche, jusqu'à ses pieds velus. Elle les foudroya de son regard incandescent, elle ouvrit et ferma ses griffes menaçantes. Tout cela en vain. Entraînés d'une main ferme par l'aveugle, les deux moines avançaient toujours.

Yamamba vaincue s'évanouit dans les airs, et disparut.

Ce récit donne à réfléchir : des deux, qui était le véritable infirme ?

Le dragon de la pluie

Au pays de Chine, les dragons exercent des fonctions considérables. Le « dragon rouge », par exemple, que l'on nomme aussi « le dragon du feu »... s'il ouvre les yeux, l'aube se lève, s'il les ferme, tombe la nuit. Quelle responsabilité ! Le « dragon du tonnerre et des éclairs » surveille les orages. Rude métier ! Le « dragon des nuages » les rassemble comme des moutons, c'est le berger des cumulo-nimbus. Et rien n'est plus joueur et malicieux qu'un nuage ! Ils se cachent, se métamorphosent en lion, requin ou girafe, ils s'effilochent, se dispersent... Quel travail ! Mais les dragons, qui ont pour mission de courir sus au soleil, à la lune, et de leur mordre l'arrière-train pour les empêcher de musarder, sont peut-être les plus mal aimés, et pourtant ils accomplissent une besogne indispensable ! Que dire enfin du « dragon de la pluie » ? Il doit verser l'eau de la jarre magique sur les montagnes, les forêts, les rizières, ni trop, ni trop peu, labeur écrasant, qui exige une attention constante. Imaginons qu'il arrose par distraction le désert de Gobi !! ...

On comprend, dès lors, que les dragons aient besoin de temps à autre de détente et de fête. L'une des meilleures occasions est l'anniversaire de l'empereur des dragons. Dans le palais céleste, ce sont gargantuesques ripailles, franches lippées, rires et chansons. Cette année-là, l'orgie durait depuis trois jours. Ce n'étaient, dans les salles et les couloirs, que corps affalés au hasard. Le « Dragon de la pluie » ronflait, cuvant son vin. Mais, comme chacun le sait, un jour pour les dragons équivaut à une année entière pour les humains. Et sur terre, dans la grande plaine de Chine, la situation devenait dramatique. Pas une goutte de pluie depuis trois ans ! Les habitants vinrent en délégation supplier le petit « Dragon d'or », qui est le messager entre les hommes et les dragons du ciel.

« Seigneur dragon, sauve-nous ! Plus une goutte d'eau, les carcasses d'animaux parsèment la plaine, nous allons tous mourir de faim !

— Je vais essayer », fit le « Dragon d'or » saisi de pitié, et il s'envola vers le palais céleste.

Arrivé à la cour de l'empereur, il vit un spectacle lamentable. Ce n'étaient que corps allongés çà et là sur les tapis, dans les couloirs. Il découvrit le maître de la pluie, le secoua avec vigueur. Il n'obtint qu'un vague grognement :

« Laissez-moi dooormiiir !

— Mais Seigneur, les hommes meurent, sur terre. Une famine effroyable s'annonce, il leur faut de l'eau de toute urgence !

— Lai-ai-ais-sez-moi dooormiiir ! »

Dans un couloir, le petit « Dragon d'or » rencontra le maître du tonnerre, qui était à peu près lucide. Il lui expliqua la situation. Bien qu'un peu vacillant, le « Dragon du tonnerre et des éclairs » joignit ses efforts à ceux du petit « Dragon d'or ». On secoua derechef le maître de la pluie :

« Réveillez-vous, il faut de l'eau pour les cultures, les rizières, les pauvres habitants de la grande plaine de Chine.

— C'est la-la-la fê... te ! bredouilla le "Dragon de la pluie". Je ne ferai rien, à moins que l'empe-pe-pe-reur ne m'en donne l'ordre ex-ex-... près ! » affirma-t-il, avec une obstination d'ivrogne.

On le supplia, mais rien n'y fit.

La situation était sans issue. Alors, le petit « Dragon d'or » prit le risque d'aller déranger l'empereur. Mais devant la porte des appartements privés de Sa Majesté, il fut intercepté par deux grands gaillards de dragons, armés de hallebardes, qui lui interdirent le passage : « Nul ne peut entrer ici, sous peine de mort ! »

Le petit Dragon s'en alla en se tordant les griffes de désespoir. Il songeait aux malheureux humains, qui mouraient sur terre, et certains, en particulier, qu'il avait appris à aimer. Que faire pour les sauver ? Il résolut de poser l'acte le plus grave que puisse commettre un dragon : utiliser faussement la parole sacrée de l'empereur. Il s'approcha du maître de la pluie et lui corna brutalement dans l'oreille :

« Sa Majesté te donne l'ordre de faire pleuvoir sur la grande plaine de Chine. »

Aussitôt, bien qu'à moitié assoupi, le « Dragon de la pluie » saisit la jarre magique, versa l'eau sur la grande plaine de Chine, et il se rendormit.

Le petit « Dragon d'or » revint sur terre, et constata avec bonheur que les champs reverdissaient. Ses amis humains étaient sauvés.

Huit jours plus tard, le « Dragon d'or » était convoqué au palais céleste, et mis en présence de l'empereur :

« Comment as-tu osé te prévaloir de mon nom sacré, et donner un ordre à ma place ! Ce crime est puni de mort, et je puis te condamner à être brûlé vif sur l'heure !

— Je le sais, Seigneur, dit le petit Dragon, les yeux baissés.

— Mais la réponse "juste" exige parfois que l'on contrevienne aux règles, et que l'on désobéisse », fit l'empereur. Pensif, il ajouta :

« La compassion est une voie de libération. »

Et, d'un geste presque paternel, il le congédia.

❧

« Maître, la leçon de ce conte est fort claire !

— Et quelle est cette leçon, Toshibu ? interroge le maître du Zen.

— La compassion dont a fait preuve le petit Dragon d'or envers les humains est la plus belle des vertus.

— En es-tu sûr, Toshibu ? Je crois que la leçon est tout autre... »

Et il ajoute, après un temps de silence :

« Si tu rencontres le Bouddha, tue le Bouddha ! »

Les disciples faisaient cercle autour du maître et la nuit tombait. Plus d'un, ce soir-là, médita longtemps les paroles énigmatiques.

La robe noire du corbeau

Il y a le « Choucas des tours », robe noire, nuque grise, yeux gris perle, vif, petit, il criaille sans répit : « Thia... tjaca-tjaca-ja-ca, tja-... » Le « Corbeau freux », robe noire irisée, un bec grisâtre, mince et fin, une drôle de culotte au croupion, et ce chant en sourdine : « Kaâ... âh... ah... » La « Corneille noire », toute noire, et même le gros bec est noir ; son croassement rauque et prolongé, « Kroâ, Kroâ... kra-aaa... », symbolise toute la gent corbeautine. Le « Grand corbeau », enfin, soixante-deux centimètres en moyenne, de la pointe du bec au bout de la queue, une robe iridescente, un cri bref : « Cro... rrrok ! » Quelle que soit sa personnalité, sa singularité dans l'espèce, le corbeau n'est pas aimé. On a prétendu qu'il portait malheur, qu'il était maudit, qu'il avait eu autrefois commerce avec les démons ! Sa robe noire est la marque de sa disgrâce. Et c'est injuste ! Parce que la couleur de sa robe est due à une circonstance fortuite, malencontreuse. Mais écoutez ce que dit, à ce propos, un conte du vieux Japon...

Il y a des ères et des ères, au temps où les oiseaux parlaient, le corbeau était habillé de gris. Élégant, soucieux de sa parure, il alla trouver un jour le hibou, qui exerçait, comme chacun sait, la profession de teinturier :

« Cher hibou, ma robe grise est terne, je souhaiterais la remplacer par quelque chose de plus gai, de plus éclatant !

— Je n'ai pas de temps à perdre ! grommela le hibou. Dites-moi exactement ce que vous désirez, j'ai d'autres clients à teindre avant ce soir !

— Eh bien, fit le corbeau, songeur, j'aimerais assez la robe du pic-vert : le dos d'un beau vert brillant avec un léger dégradé sur le ventre, dans les nuances gris clair, vert amande, la calotte rouge, bien entendu, les moustaches noires... Ah, j'oubliais, une tache rouge juste au milieu des moustaches...

— Tout cela est bien compliqué, marmonna le hibou, oû-ho... oû-ho... »

Il se mit au travail, mélangea dans ses grands chaudrons en ébullition les diverses teintures. Mais la tâche était difficile, et la nuit tombait.

« Je vous ai demandé un ton plus doux pour le dessous, un vert pâle ! protesta le corbeau. Et la calotte, je la veux rouge pourpre, vous me proposez un rouge violine ! Ce n'est pas cela ! »

Le hibou agitait ses aigrettes sans répondre, il mêlait furieusement les couleurs, il transpirait.

« Décidément, constata le corbeau, déçu, vous n'y arrivez pas ! Le plus simple est que nous essayions autre chose : je préfère à la réflexion la robe du martin-pêcheur : bleu-vert scintillant, métallique pour le dos, un peu de brun et de roux sur le ventre, la gorge blanche, et tout sera parfait !

— Vous m'embrouillez ! s'emporta le hibou, je ne sais plus si vous voulez du vert ou du bleu, du brun, du rouge ou du blanc, si vous voulez ressemblez à un pic-vert ou à un martin-pêcheur !! »

Et dans un accès de colère, il renversa ses chaudrons, et teignit le corbeau... en noir.

Le corbeau, je croyais ne pas l'aimer
Et pourtant... ce matin
Sur la neige !

Matsuo Bashô (1644-1694)

La « perle de vent »

Cette histoire est maintenant du passé. Il y a de cela des siècles et des siècles, le roi d'un minuscule État n'avait qu'un seul fils. Ha-Xin était un prince beau et bien fait, courageux, serviable, de caractère aimable, mais il était affligé d'un grave défaut. Il était lent, nonchalant, irrésolu. Toujours bon dernier dans les courses, les joutes, les tournois, les fêtes de la cour. Quand le grand chambellan, le père de la jeune fille qu'il aimait, organisait chaque année le bal des récoltes, il se faisait devancer par ses rivaux. Et la délicieuse Lin-Fang, aux cheveux noirs de jais, à la nuque de lait, aux yeux emplis d'étoiles, dansait toute la nuit avec d'autres que lui.

Ha-Xin en éprouvait à la longue un tel chagrin qu'il résolut d'aller demander son aide au dieu de la montagne. Il partit à cheval, il voyagea longtemps. Il traversa mille périls, franchit quatre-vingt-dix-huit montagnes. Enfin, il arriva devant la quatre-vingt-dix-neuvième. Ses flancs étaient si escarpés qu'il dut descendre de cheval, et grimper en le tenant par la bride. Parvenu au sommet, il découvrit une vieille femme, qui filait sous un immense pin :

« Que cherches-tu, étranger ? questionna-t-elle.

— Je viens de très loin, honorable grand-mère, dit-il avec sa courtoise habituelle, pour consulter le dieu de la montagne et solliciter son aide !

— Va jusqu'à la cascade, appelle trois fois le nom de Youta, et le dieu apparaîtra ! »

Ha-Xin obéit, il se plaça face à la cascade, et cria trois fois : Youta, Youta, Youta !!!

« Que me veux-tu ? » gronda une voix puissante, et un vieillard colossal se matérialisa devant lui ; son crâne touchait les nuages, et sa barbe blanche ruisselait jusqu'au fond de la vallée. À cette vue, Ha-Xin trembla de frayeur, mais il parla avec courage :

« Ô noble Youta, je suis affligé d'un grave défaut : je suis lent, irrésolu, nonchalant. Et tous les ans, au bal des récoltes, je suis devancé par mes rivaux. Ma bien-aimée, l'incomparable Lin-Fang aux cheveux noirs de jais, à la nuque de lait, aux yeux emplis d'étoiles... danse avec d'autres que moi.

— Prince Ha-Xin, fit le dieu de la montagne, je vois que ton cœur est sincère, je vais t'accorder ce que tu demandes, mais veille à en faire bon usage. »

Sur ces mots, il sortit de sous sa robe un tout petit grain, pas plus gros qu'un grain de riz :

« Voici la "perle de vent", il te suffira de la mettre dans ta bouche, et tu courras aussi vite que le plus rapide zéphyr ! »

Et le dieu de la montagne se dissipa dans les airs comme une fumée.

Le prince Ha-Xin revint dans son royaume, le cœur empli d'espoir. Il serrait précieusement la « perle de vent » dans un sachet, dissimulé sur sa poitrine. Enfin l'automne vint, et le grand bal des récoltes. Le prince se tenait prêt. Dès les premières mesures, il plaça dans sa bouche la « perle de vent », et s'élança vers l'estrade, où la délicieuse Lin-Fang se tenait aux côtés de son père. Mais il courait si vite, si vite... qu'il les dépassa, et ne parvint à s'arrêter qu'au milieu d'un champ, loin de la fête. Alors il rebroussa chemin, mais la délicieuse Lin-Fang dansait déjà avec un rival. Elle l'épousa le printemps suivant. Ha-Xin sombra dans la mélancolie, et toute raison de vivre le quitta. Un jour, désespéré, il alla se réfugier auprès d'un moine zen, qui vivait dans une grotte à quelques lis[6] du palais :

« Ô moine, dit-il, je ne pouvais approcher ma bien-aimée, parce que j'étais trop nonchalant, trop lent, et j'arrivais toujours le dernier. J'ai accompli un périlleux voyage, gravi quatre-vingt-dix-neuf montagnes, affronté le dieu Youta. Il m'a offert "la perle de vent", qui me rendait plus rapide que le zéphyr, et je n'ai pu approcher davantage Lin-Fang ma bien-aimée, aux cheveux noirs de jais, à la nuque de lait, aux yeux emplis d'étoiles... »

Sur ces mots, le prince héritier du royaume se mit à pleurer...

« Noble prince, dit l'ermite, le Zen nous enseigne qu'il ne faut manger ni trop ni trop peu, boire ni trop ni trop peu, dormir ni trop ni trop peu. À chaque seconde de nos vies, il convient de donner la réponse JUSTE, tout le reste est illusion. »

Le prince Ha-Xin accéda au trône, et régna longtemps, longtemps. Il fut le roi le plus sage que le royaume connut pendant des millénaires. Et l'on en parle encore, dans les vieilles légendes, au cœur secret de la Chine.

Un médecin, un renard, un serpent

Il y a de cela des ères et des ères, au-delà même du souvenir... vivait dans l'État de Jambdivida un jeune médecin, doué de tous les talents, qu'un chagrin d'amour contraignit à l'exil. Il erra longtemps sur les routes de l'Inde, et finit par arriver dans une province inconnue, où il résolut de se fixer. Ce médecin était un homme bon, il pratiquait les « quatre incommensurables[7] », et sa compassion envers tous les êtres vivants respectait la règle des dix vertus.

Un matin d'été, il suivait un chemin de campagne quand un effroyable orage éclata, suivi d'une pluie diluvienne. Bientôt, les routes, les champs, les bois étaient envahis par les eaux tumultueuses d'un fleuve sorti de son lit. Le jeune médecin crut sa dernière heure venue. À ce moment une planche, sans doute une porte de temple arrachée à ses gonds, passa près de lui ; il s'y agrippa avec énergie, grimpa dessus, et fut provisoirement sauvé. Il contemplait le désastre, ballotté sur son morceau de porte, au milieu des flots boueux, quand il aperçut un renard, au pelage roux sombre, l'œil éteint, la queue trempée, rabattue, qui se noyait à quelques mètres de lui. Il se pencha aussi loin qu'il put en dehors du radeau improvisé, et tendit la main au renard. La tentative était périlleuse, et le médecin faillit perdre l'équilibre. Mais il réussit à ramener le goupil sur la planche à côté de lui.

❧

Un peu remis de ses émotions, le renard s'ébroua, se sécha et commença de reprendre goût à la vie :

« Seigneur, dit-il, je suis un renard d'importance, et je possède un fameux terrier dans le bois, que vous distinguez au-dessous de nous. Lorsque les eaux se seront retirées, je vous inviterai en mon logis. »

Et, satisfait de son discours, il s'étira de tout son long au soleil, tandis que sa queue en panache battait l'air, et à lui seul il s'arrangea pour occuper les deux tiers de la place disponible. Le médecin ne dit rien. Il observait les eaux sales et boueuses, qui charriaient des débris hétéroclites : morceaux de bois, cadavres d'animaux... le spectacle était lamentable. Le jeune homme en avait le cœur serré. Soudain, il aperçut un serpent python qui essayait désespérément de se maintenir à la surface. Il tendit spontanément la main pour lui porter secours, mais le renard, levant haut son museau pointu, s'exclama :

« Cher monsieur, avez-vous perdu la raison ? Laissez cet horrible reptile se noyer. Il n'y a pas assez de place sur cette planche pour nous trois ! » Le médecin s'obstina et réussit à tirer hors de l'eau le jeune serpent. À peine sauvé, celui-ci se glissa voluptueusement sur les genoux de son protecteur, qui posa une main amicale sur la peau chaude et bigarrée, douce comme la soie. Et le python, sa langue agile virevoltant hors de sa bouche, tendit vers le médecin son crâne triangulaire, quémandant une caresse :

« Attention... maugréa le renard, à se tortiller ainsi, cet animal finira par nous faire chavirer !

— Ne vous inquiétez pas, il va sagement dormir sur mes genoux. »

Le goupil haussa les épaules, et s'étendit à nouveau au soleil. Les heures passèrent lentement. Vers midi, les eaux commencèrent à baisser. Le soir venu, elles s'étaient retirées tout à fait. Le renard, qui avait recouvré son humeur courtoise, remercia longuement le médecin. Le jeune python, qui avait fait une sieste très agréable, eut du mal à quitter son nouvel ami. Mais enfin l'étrange compagnie se sépara, et chacun retourna à ses affaires, à sa vie.

❧

Trois années s'écoulèrent au sablier du temps. Le jeune médecin avait réussi au-delà de ses espérances. La protection d'un grand seigneur, dont il avait heureusement soigné une horrible enflure à la jambe, lui valut une riche clientèle. Il était demeuré bon et compatissant, attentif aux pauvres gens, qu'il soignait souvent sans réclamer de paiement. Bref, tous le respectaient et l'aimaient. Tous, sauf l'un de ses confrères... Le docteur Morosouke avait longtemps espéré s'attirer les faveurs du grand seigneur, et il avait échoué. L'envie le rongeait. Un matin, il alla trouver l'administrateur de la cité :

« Excellence, dit-il, je dois vous signaler l'un de mes collègues, arrivé dans cette ville il y a trois ans, le jour de la terrible inondation. Il voyageait avec un renard et un python ! Détail plus troublant encore, tous les trois étaient juchés sur la porte d'un temple ! Depuis, il a circonvenu l'un de nos grands seigneurs, sans que l'on sache comment. Tout cela sent la sorcellerie. Si notre bon prince, que je vois quelquefois..., fit-il avec un sourire modeste, était informé que l'on protège ici un sorcier avéré... »

L'administrateur était un homme prudent. Il fit arrêter le jeune médecin, et jeter dans un cul-de-basse-fosse, où il l'oublia. La nouvelle de cette arrestation ne fit pas grand bruit, et même le grand seigneur, qui pour l'heure se portait à merveille, avait bien d'autres choses en tête. Mais le récit des malheurs du jeune médecin arriva au bout de quelques semaines dans la forêt. Le renard, le premier, l'apprit ; il en informa aussitôt le python. Ce dernier avait considérablement grandi ; il mesurait à cette époque trois mètres quatre-vingt-douze et pesait cinquante-trois kilos. Il s'écria avec impétuosité :

« Maître goupil, nous le sauverons ! Dussé-je étouffer sous mes anneaux la moitié des habitants de cette ville !

— Nous allons imaginer une ruse, fit le renard. Dame Hermeline, mon épouse, est sur le point d'accoucher, et l'on a toujours besoin d'un médecin habile, marmonna-t-il. Bref, reprit-il à voix haute, si vous êtes disponible, nous allons de ce pas en ville. »

Le python déroula ses anneaux à la vitesse de l'éclair, et se mit si rapidement en chemin que le renard, essoufflé, lui cria :

« Doucement, cher ami, nous ne pourrons rien entreprendre avant la nuit ! »

Tapis dans les fourrés, le python et le renard attendaient que l'obscurité noie les rues et les maisons. Ils s'étaient installés à proximité de la demeure de l'administrateur. La nuit tombée, le python pénétra dans l'habitation, se glissa dans la chambre où dormait le gouverneur, le mordit cruellement au pied gauche, et s'enfuit silencieusement. Le matin, l'administrateur avait le pied qui avait triplé de volume et le faisait atrocement souffrir. Il appela les meilleurs médecins de la ville, qui furent impuissants à le soulager.

« Excellence, dit le plus âgé d'entre eux, il s'agit là d'un mal étrange, il nous faudrait consulter les astrologues, peut-être...

— Nous sommes désarmés devant cette maladie inconnue... », soupira un deuxième. Un silence pesa sur l'assemblée. Alors une voix étouffée, qui venait d'un médecin à moitié caché sous une grosse houppelande, suggéra :

« J'ai entendu dire que le jeune confrère arrivé dans notre ville le jour de l'inondation connaissait des remèdes à cette maladie, qui est commune en son pays. »

On alla quérir le médecin dans sa prison.

Averti en secret par ses amis de la cause du mal, il guérit l'administrateur. Ce dernier le rétablit dans son honneur, et lui rendit ses biens. On chercha le médecin à la houppelande pour le remercier. Mais depuis longtemps, le renard et le python avaient regagné la forêt.

Dans les monastères zen, tous les soirs après Zazen, on psalmodie, en s'accompagnant d'un tambour en bois *mokugyo,* et d'un gong *keisu,* les « quatre incommensurables ». Le premier d'entre eux s'énonce ainsi :

Aussi nombreux soient les êtres vivants,
Je fais le vœu de les sauver tous.

C'est le vœu de la Compassion.

La petite cloche d'argent

En ce temps-là vivait dans la campagne, aux environs d'Edo (aujourd'hui Tokyo), un vieux moine d'une grande sagesse ; celui-ci était connu jusqu'aux plus lointaines provinces de l'Empire du soleil levant pour sa grande piété, et sa constante bonne humeur. Toshibu souriait à tous et à tout. Il acceptait les aléas de l'existence avec une parfaite équanimité. Un jour, l'un de ses disciples les plus assidus osa l'interroger :

« Maître, qu'est-ce qui vous rend le cœur si gai que rien ne semble vous atteindre, ni le froid, ni le chaud, ni la soif, ni la faim, et pas même la méchanceté des hommes ?

— Je vais te confier mon secret, dit Toshibu. Chaque fois que tinte la petite cloche d'argent que tu vois suspendue à ma porte, je me retiens de danser, tant mon plaisir est vif, et ma joie est grande… »

Or ce disciple, malgré ses démonstrations de piété, avait le cœur mauvais. Il était envieux, et jaloux du bonheur d'autrui. Il décida de voler la petite cloche d'argent afin de connaître à son tour la joie perpétuelle. Une nuit, il s'empara de la cloche de maître Toshibu, il la dissimula sous son manteau, et courut jusqu'à sa demeure. Dès le lendemain, il la suspendit à sa porte d'entrée et s'apprêta à goûter un bonheur ineffable. Il attendit. En vain. La petite cloche tintinnabulait dix fois par jour sous l'effet du vent, ou lorsqu'un visiteur pénétrait dans sa maison. RIEN. Rien ne se produisait, et le disciple ne ressentait aucune joie. Ce tintement qu'il guettait sans cesse finissait même par l'excéder. Il croyait l'entendre la nuit. Il en perdait le goût du manger et du boire, devenait irritable. Tant et si bien qu'il résolut de se jeter aux pieds de son maître, d'implorer son pardon et de lui rendre la petite cloche d'argent.

Un matin, il apporta la petite cloche à Toshibu, et se répandit en larmes de repentir. Le maître remit calmement la petite cloche au-dessus de la porte d'entrée et accorda son pardon. Quand le disciple fut certain d'être rentré en grâces, il interrogea Toshibu :

« Maître, je voudrais bien comprendre pourquoi cette petite cloche, qui vous procure un tel bonheur que vous vous retenez de danser, et que rien ne trouble votre joie, fut pour moi une source de chagrins ?

— Le cyprès dans la cour », dit Toshibu.

Il faisait ainsi allusion à l'anecdote célèbre que connaissent tous les disciples du Zen :

« Qu'est-ce que le Zen ? demande l'élève.

— Le cyprès dans la cour », répond le maître.

Le Zen en effet est le « cyprès dans la cour », et aussi le « bâton » du mendiant, il est « l'écuelle » et « le bol de riz », ou la petite cloche d'argent. Le Zen est tout cela, et il n'est pas cela. Il est ici et là, et il n'est ni ici, ni là. Le Zen est une évidence toute simple, immédiate, et il est un mystère impénétrable.

La cloche du temple s'est tue
Dans le soir, le parfum des fleurs
En prolonge le tintement.

Matsuo Bashô (1644-1694)[8]

Les maîtres zen, au long des siècles, n'ont
peut-être enseigné qu'une seule chose :
N'OUBLIEZ PAS D'ÊTRE HEUREUX !

L'alouette et le soleil

Un cri liquide et clair : « Trrui-i-i-i, tri-ri... », c'est l'alouette, flèche lancée dans le soleil, ivre de lumière, les ailes effilées, le dos rayé de noir, le ventre roux et doux, et blanc, l'alouette des champs.

« Extrême braise du ciel, et première ardeur du jour », écrit René Char.

« Trru-i-i-i, tri-ri... », ce cri haut tenu, répété, obstiné, jailli avec l'aurore, fascine. Jadis, explique une légende japonaise, l'alouette a commis l'imprudence de prêter de l'argent au soleil, et ce dernier refuse de lui rendre ! Alors depuis, chaque jour à l'aube, elle grisolle :

« Soleil, rends-moi mon pécule, mon viatique, mon argent ! »

Et parfois, elle s'indigne : « Trrr-ui-iiiii, Trri, rri ! Me le rendras-tu enfin, ladre, avare, pingre, harpagon !! »

Et parfois elle se plaint : « Trrui-ui... Pi-i-i-e-e, pi-i-eee, Soleil, rends-le-moi, mon chènevis, mon blé de lune, mon bel argent ! »

❧

Cet entêtement ! L'une de mes tantes, après la guerre de 1940, refusa de croire à la mort de son fils disparu dans un camp. Pendant trente-cinq ans, elle alla tous les jours à la gare de l'Est, guettant les trains en provenance d'Allemagne, réclamant son fils Pierre au chef de gare, à la terre entière, au ciel, à Dieu ! Et ces mères argentines, « les folles de la place de Mai », qui tous les jeudis, depuis vingt-cinq ans, tournent inlassablement sur la place de Buenos Aires, dans le sens inverse des aiguilles d'une montre, à bout de bras leurs pancartes dérisoires, réclamant leur enfant, au gouvernement, à la justice, au soleil, à Dieu !

— « Trrrui-ii-ii... Tri-ri... » Avec sa huppe doucement arrondie, ses ailes brunes à liseré blanc, son bec jeté en avant, elle chante, l'alouette. Elle chante l'invincible, l'increvable espérance : la petite alouette des champs.

« Que faut-il faire pour atteindre l'Éveil ? interroge le disciple.

— Trois choses, répond le maître. Pratiquer, pratiquer et encore pratiquer. »

Le roi des dragons se marie

On peut aimer à tout âge ; et même à l'heure mélancolique, où le feu s'éteint dans les yeux, la griffe s'émousse, les ailes sont déplumées, la queue de serpent blanchie par les ans. Ainsi le roi des dragons s'éprit-il, à un âge avancé et quasi sénescent, d'une jeune dragonne de seize ans.

Ils se marièrent. Madame avait dans l'œil une flamme neuve, des griffes de lionne bien acérées, et sur tout son corps ocellé, comme une rosée de printemps. Les réjouissances des épousailles achevées, chacun rentra en son logis, et même les poissons, les sujets les plus fidèles du roi des dragons. La jeune mariée s'ennuya. Tant et si bien qu'elle tomba malade. Son vieil époux, fou d'inquiétude, fit appeler à son chevet les praticiens les plus renommés. Leur diagnostic fut pessimiste. La maladie devait suivre son cours inexorable, et la reine mourrait, à moins que l'on n'accède à un désir secret qui la rongeait.

Le roi des dragons supplia sa femme :

« Bien chère épouse, perle de mes yeux, chant de mon cœur, dites-moi ce que vous désirez, et quoi que ce soit, je jure solennellement de vous l'accorder. »

Après beaucoup de pleurs et force refus, la jeune reine dévoila son secret :

« J'ai envie... dit-elle entre deux sanglots, du foie d'un singe vivant, je sens qu'après l'avoir consommé je recouvrerai la santé !

— Le foie d'un singe vivant ! s'écria son époux. Ma douce amie, vous n'y pensez pas ! Je n'ai aucune autorité sur le peuple de la forêt, et une guerre en ce moment…

— Ah, Seigneur, se lamenta la jeune mariée. Vous ne m'aimez pas ! Vous refusez de m'accorder la première faveur que je vous demande… »

Et la malheureuse reine s'évanouit, terrassée par le chagrin. Elle était si émouvante, son jeune corps écaillé allongé sur le sable de la rive, que le vieux roi faiblit, et décida de la satisfaire. À tout prix.

Une guerre était exclue. Il opta pour la diplomatie. Il fit appeler la méduse, noble dame de sa cour : loyale, dévouée, et sans trop de malice. En ce temps-là, les méduses étaient des poissons ordinaires avec des yeux, des nageoires, une queue et même de courtes pattes, qui leur permettaient de se déplacer sur la terre ferme.

« Je vous envoie en qualité d'ambassadrice extraordinaire auprès du peuple de la forêt », déclara le roi des dragons.

La méduse s'inclina, le regard empli de fierté :

« Je suis à vos ordres, Seigneur.

— Vous devrez persuader un singe de venir dans notre pays. Peu importent les moyens. Parlez-lui de fruits délicieux : bananes, noix de coco… Dites-lui qu'il sera traité comme un prince, que nous jouissons dans nos contrées d'un perpétuel été… enfin, ce que vous voudrez. Quand il sera en notre pouvoir, nous prélèverons son foie, afin de sauver la reine !

— Je suis votre servante ! » fit la méduse, qui sortit à reculons en enchaînant les trois révérences en usage, comme chacun sait, à la cour du roi des dragons.

Après trois jours de voyage, la méduse arriva dans le pays des singes. Elle interpella le premier qu'elle vit se balancer au-dessus d'elle dans les branches d'un cocotier :

« Honorable simien, dit-elle. Je viens du pays du roi des dragons, qui règne sur la mer et ses rives prochaines. Mon maître vous invite à sa cour. Vous y serez reçu à l'égal d'un prince, on vous offrira des fruits délicieux : noix de coco, d'arec, de cajou et aussi noix de muscade, noix de palmier, noix fraîches et séchées bien à l'abri dans nos celliers. Dans notre royaume il fait toujours beau, les gens sont d'un abord aimable, enfin vous ne trouverez trace de l'abominable race des hommes ! »

Elle se tut, tout essoufflée.

Le singe s'amusait, il contemplait la méduse du haut de sa branche. À vrai dire, il hésitait… cette demoiselle poisson avait l'air honnête et assez naïve, pourquoi ne pas tenter l'aventure ?

Il sauta à terre :

« Allons, dit-il. Je suis curieux de visiter votre pays, et de saluer votre maître, le roi des dragons.

— Il vous faut grimper sur mon dos, nous emprunterons le chemin de la mer, qui offre un raccourci », expliqua la méduse avec amabilité.

Quelques heures après le départ, le singe regrettait déjà sa décision hâtive. La mer à l'infini… La méduse nageait en silence. Une vague angoisse l'étreignit. Il essaya de nouer un dialogue :

« Dites-moi, chère amie, fit-il avec un léger rire, pourquoi m'avoir choisi, moi ?

— Notre reine est malade, dit la méduse avec simplicité, un foie de singe vivant, peu importe lequel, lui est nécessaire pour retrouver la santé.

— Je vois… », fit le singe.

Une peur abominable lui tordait l'estomac. Autour de

lui, la mer, aucune terre à l'horizon... Il devait user d'un stratagème pour sauver sa vie.

« Je vois... répéta-t-il, et il ajouta : Je suis honoré de contribuer modestement à la guérison de votre reine ! »

La méduse, qui était sans malice, approuva ces paroles.

« Le roi sera content de nous », songea-t-elle.

Une heure s'écoula en silence. La méduse nageait, le singe méditait. Soudain, il s'exclama :

« Mais j'y pense ! Ce matin, juste avant votre arrivée, j'ai suspendu mon foie à une branche de châtaignier. J'avais l'intention de jouer avec les noix de coco ; et le foie est une chose précieuse, je l'avais mis à l'abri. Quel contretemps ! Je suis absolument désolé !

— Qu'allons-nous faire ? demanda la méduse. Mon maître ne me pardonnera pas de me présenter à la cour avec un singe privé de son foie !

— Il serait plus raisonnable de revenir sur nos pas », conseilla le singe. La méduse acquiesça. Ils refirent le chemin en sens inverse. À peine arrivé, l'anthropoïde bondit sur la plus haute branche d'un châtaignier :

« Je ne vois plus mon foie, cria-t-il, quelque plaisantin me l'aura dérobé, chère amie, retournez donc auprès de votre maître ; quand vous reviendrez, je l'aurais certainement récupéré. »

Et il disparut dans la forêt, en faisant de la main un salut désinvolte et guilleret.

Quand la pauvre méduse se présenta devant le roi des dragons, celui-ci entra dans une épouvantable colère :

« Vous n'êtes qu'une sotte ! » hurla-t-il, et il appela ses gens afin qu'ils la battent comme chair à pâtée. Les serviteurs obéirent si bien qu'aujourd'hui, la méduse n'a plus, dans tout le corps, un seul os qui soit entier. Elle est cette chose gélatineuse, pourvue de filaments urticants, qui infligent de désagréables brûlures. Elle exprime de la sorte son aversion pour la race des singes.

On dit même qu'elle garde rancune à l'espèce mammifère tout entière.

Quant à la reine des dragons, elle n'obtint pas le foie qu'elle réclamait.

Elle cessa bientôt d'y penser, et guérit très bien sans cela.

Commentaire

Pourquoi les vieux rois se marient-ils
avec des reines à peines nubiles ?
Pourquoi les jeunes épousées
ont-elles des caprices extravagants ?
Pourquoi les singes se lancent-ils à l'étourdie
dans de folles aventures ?
Pourquoi les méduses dévouées et naïves
sont-elles jouées par les habiles,
et punies par le maître, qu'elles ont servi
de leur mieux ?
Pourquoi le monde à travers ses formes multiples
est-il ce qu'il est ?
Pourquoi tout cela ?

La première luciole !
En allée, envolée.
Le vent m'est resté dans la main[9].

« Tout cela est un grand *koan* », dit le maître du Zen.

❧

Qu'est-ce qu'un *koan* ?

Le *koan* est l'une des voies du Zen. Il s'agit d'un exercice mental qui a pour but de nous faire abandonner nos modes ordinaires de pensée pour nous familiariser avec une autre approche du réel. En place des comparaisons, du raisonnement, de la logique, qui nous permettent de relier entre eux les phénomènes, la gratuité, l'incongruité, l'absurdité mêmes du *koan* nous déstabilisent, nous contraignent d'aller directement au cœur des choses, et nous offrent l'occasion d'une nouvelle expérience, celle de l'« Éveil ».

Donnons quelques exemples célèbres de *koans* :

« Quel était votre visage avant la naissance de vos parents ? »

« Vous connaissez le bruit que font deux mains, quel est le bruit d'une seule main ? »

« Quel est le principe fondamental du bouddhisme zen ? demande l'élève.

— Le cyprès dans la cour.

— Maître, vous voulez signifier par là que le cyprès, un arbre d'une exceptionnelle longévité, au feuillage persistant, au bois presque imputrescible, symbolise le bouddhisme zen ?

— Non, le cyprès n'est pas un symbole.

— Alors, maître, dites-nous, quel est le principe ultime du bouddhisme zen ?

— Le cyprès dans la cour. »

Dialogue, à première vue, absurde. Le cyprès n'est pas une métaphore, un symbole, une allégorie, il n'a aucun lien rationnel avec le bouddhisme zen, et il ne l'éclaire en rien. Alors pourquoi le maître fait-il cette réponse ? Afin de bouter l'élève hors de son fonctionnement mental ordinaire. Il faut le désenclaver, qu'il ne se fie plus à la logique, à la raison, mais qu'il accueille sans a priori, sans jugement, et presque sans pensée le cyprès : *tel qu'il est.* Ainsi le frappera un jour l'illumination, l'éclair du Satori, l'intuition de ce qui existe sous le jeu des apparences : l'éternel Atma.

Le « sou » du rossignol

Cette histoire est maintenant du passé. Il était une fois un jeune homme qui vivait avec sa mère dans une pauvre cabane. Il décida d'aller chercher du travail dans la grande ville. En chemin, alors qu'il gravissait le sommet d'une montagne, il fut surpris par la tempête. La nuit tombait. Il aperçut au loin une lumière, il se dirigea vers elle. Trempé jusqu'aux os, il frappa à l'huis. Une jeune femme souriante et très belle l'accueillit. Sa voix était mélodieuse, une sorte de crescendo liquide, clair et flûté, qui faisait danser chacune de ses phrases : « Houic, ti-ou, ti-ou, ti-ou… » Elle lui offrit à manger. Tandis qu'il se restaurait, la jeune femme le questionna.

« Je vois, dit-elle après l'avoir écouté, que tu espères trouver du travail à Edo, dans la grande ville. Mais je vis seule ici, veux-tu travailler pour moi ? »

Le jeune homme accepta.

Le garçon coupait le bois, accomplissait les tâches journalières, labourait le champ. Il était courageux et honnête, et la femme l'appréciait. Un jour, elle lui dit :

« Je dois m'absenter quelque temps. Tu sais qu'il y a derrière la maison trois réserves. Je te demande expressément de ne jamais pénétrer, ni même regarder à l'intérieur de la troisième. »

Le jeune homme obéit scrupuleusement. Il n'entra jamais dans la troisième réserve, n'y jeta même pas un regard furtif. Une année passa ainsi. Un matin d'automne, il dit :

« Je voudrais revoir ma mère, peux-tu me donner mon congé ? »

La femme de la montagne lui remit une pièce enveloppée d'un beau papier de soie. « Voici ton salaire, fit-elle. Je pense que tu en seras satisfait. »

Le garçon rentra chez lui. Il déplia le papier de soie. Il découvrit une pièce de monnaie finement ouvragée. Ne sachant qu'en faire, il alla la montrer au chef du village, qui s'écria :

« C'est une pièce très rare, que l'on appelle le "sou du rossignol", parce que ce noble oiseau met un millier d'années pour la réaliser. Je suis prêt à te l'acheter mille écus ».

Le jeune homme accepta. Il devint riche, il se maria, et vécut heureux.

❧

Or, un voisin le jalousait. Il brûlait du désir de posséder à son tour le « sou du rossignol ». Il demanda au jeune homme comment il se l'était procuré ; celui-ci lui donna volontiers les explications nécessaires. Le voisin cupide partit pour la montagne. Il rencontra la femme, qui vivait seule. Il lui proposa ses services. Il fut engagé. Il travaillait avec ardeur, sachant qu'au bout d'une année il obtiendrait la merveilleuse récompense. Un matin, la femme lui dit :

« Je m'absente quelques jours. Derrière la maison, il y a trois réserves, la troisième est secrète et close. Tu ne dois y pénétrer sous aucun prétexte, ni même y jeter un regard. »

Le voisin cupide songea :

« C'est dans cet endroit que la femme cache son trésor. Demain, j'irai avec un grand sac, je l'emplirai de pièces merveilleuses, et je deviendrai l'homme le plus riche de la terre. »

Le lendemain, quand il fut bien assuré que la femme de la montagne était partie, il entra dans la troisième réserve.

Alors il vit, dans une chambre vide, une branche de prunier en fleur sur laquelle un rossignol chantait. Dès qu'il l'aperçut, l'oiseau s'envola. La maison disparut à l'instant, et le voisin cupide se retrouva assis sur un tas de broussailles. Seul dans la montagne.

Ainsi, c'est ainsi.

Mu-shotoku, l'esprit de non-profit.
« Telle est la voie du Zen », dit le maître.

Le doigt d'or

Un jour du temps passé, dans l'ancienne Chine, un ermite un peu magicien reçut la visite d'un ami de jeunesse, nommé Siang-Jou. Le saint moine vivait depuis de nombreuses années au cœur de la montagne profonde, aussi accueillit-il son ami avec effusion et joie. Il lui offrit le repas et un abri pour la nuit.

Le lendemain, il lui dit :

« Siang-Jou, en souvenir de nos jeunes années, je veux te donner un cadeau. »

Et, pointant son doigt sur une grosse pierre, il la transforma en un bloc d'or pur. Au lieu de se réjouir, son ami gardait l'air maussade. Il ne le remercia même pas :

« Moine Wei, fit-il, j'ai fait une longue route pour venir jusqu'à toi au cœur de la montagne profonde. Pourquoi me contenterais-je d'un petit bloc d'or pur ? »

L'ermite, désireux de faire plaisir à son ami de jeunesse, pointa alors son doigt sur un énorme rocher, et le transforma en un bloc d'or pur.

« J'espère que tu es satisfait, dit-il en riant, et que ton âne pourra le transporter ! »

Mais Siang-Jou ne souriait pas, il conservait son air maussade.

« Que désires-tu donc ? » demanda le moine.

Alors Siang-Jou, son ami de jeunesse, sortit le grand couteau qu'il portait à la ceinture.

« Ce que je veux, dit-il, c'est le doigt. »

Anshi

Il était une fois... une atroce belle-mère, comme il n'en existe que dans les contes, injuste, revêche, cruelle. Elle avait accueilli de mauvais gré l'épouse principale que son fils avait choisie. Anshi pourtant était belle, trop peut-être au goût de la marâtre. Fille d'un seigneur de la cour qui avait par malheur déplu à l'empereur et encouru sa disgrâce, la noble enfant avait dû se marier avec un fonctionnaire besogneux. Elle gardait maints traits de sa splendeur passée, sa longue chevelure, la délicatesse de ses façons, la grâce de sa silhouette, la nacre de ses joues, l'élégance de son maintien. Mais l'odieuse belle-mère n'en avait cure, elle accablait sa bru de tâches ménagères : cuisiner, laver, balayer. La malheureuse travaillait sans répit tout le long du jour, et ne recevait pour loyer que des paroles blessantes :

« Tu n'es pas ici à la cour, vociférait la harpie. Tu as été bien heureuse d'épouser mon fils, bonne à rien, prétentieuse, impudente ! »

Anshi se taisait. À l'époque de Heïan[10], le code japonais, dans le chapitre : « Des foyers », indiquait les différents motifs qui justifiaient la répudiation d'une épouse, c'est-à-dire son déshonneur, sa mort sociale. Les deux premiers : la stérilité et l'adultère ; le troisième, qui nous intéresse ici :

« Le manque de piété filiale à l'égard des beaux-parents. » Cette clause plaçait en fait la jeune épousée à la merci de sa belle-famille, et de sa belle-mère en particulier. Notons pour mémoire trois autres motifs de répudiation, qui laissent songeurs :

La jalousie. Rappelons que le mari, en sus de l'épouse principale, avait, selon sa fortune et son rang, plusieurs épouses secondaires, des concubines à discrétion, ce qui n'excluait pas les visites régulières aux courtisanes. Pourquoi sa femme aurait-elle été jalouse, en effet ?

Le bavardage (inconsidéré). Il est bien connu qu'un homme parle, explique, discourt, et qu'une femme babille, potine, caquette...

La maladie enfin. À quoi peut bien servir une femme malade ? Autant s'en débarrasser.

Un jour, la belle et malheureuse Anshi cuisait le riz du repas familial, quand sa belle-mère se mit en colère contre elle, sans raison valable. La belle fille parut ignorer ses cruelles paroles, mais soudain elle retira du feu un morceau de bois enflammé et le lança violemment par la fenêtre ; il tomba par hasard sur un mouton qui passait, et mit le feu à sa toison. Le mouton affolé courut droit devant lui et se jeta sur une meule de paille, qui s'enflamma. Parce que ce jour-là le vent était très fort, le feu gagna les étables et les écuries. Des bovins et des chevaux sauvages s'échappèrent, et dans la bousculade détruisirent la maison d'un voisin. Celui-ci, un homme vindicatif, chercha querelle au propriétaire des chevaux, et ainsi, de proche en proche, de village en village, de province en province, la guerre s'étendit, comme un feu de broussailles, et ravagea tout le pays. Voilà ce que peut engendrer la méchanceté d'une seule belle-mère.

Ainsi a-t-il été rapporté des choses du passé.

Le Karma : la loi bouddhique des effets et des causes. Le *karma* est l'ensemble de nos actes physiques ou mentaux, et le fruit qu'ils produisent.

« Le froissement d'une aile de papillon change le cours des étoiles. »

Parole zen

La légende du coucou

Le coq français coquerique en français : « Cocorico ! », le coq allemand en allemand : « Kire-kiki ! », et le coq anglais, comme il se doit, en anglais : « Cook-e-doodle-do ! » Les coqs parlent la langue de leurs pays respectifs, ou bien seraient-ce les humains qui interprètent à leur guise le cri innocent des gallinacées ? La question fait sourire, mais il est un chant que l'on ne peut certainement pas moduler à son gré : celui du coucou ! Comment en effet transformer cette musique binaire, répétitive, d'une si évidente clarté : « cou-cou... cou-cou... » ? Celui qui a entendu une fois la voix bien timbrée du voltigeur du printemps sait bien que le coucou « coucoule », et rien d'autre. Pourtant, au Pays du soleil levant, on affirme que le coucou ne dit pas « cou-cou... cou-cou... », mais « Kakkô... kakkô... ». On ajoute même qu'il a pour ce faire une excellente raison.

❧

Il y a de cela des ères et des ères, papa coucou demanda un jour à sa fille de lui gratter le dos. Ce qu'il ne pouvait exécuter seul, malgré des tortillements du bec vains et désespérés ! La demoiselle traversait les orages de l'adolescence. Elle refusa, au prétexte que papa n'aimait guère certain coucou juvénile, qui arborait une tenue brun-rouge du plus mauvais effet, qui le faisait ressembler à une crécerelle femelle.

« Grotesque ! fulminait papa, un coucou gris s'habille de gris !

— Tu n'y connais rien, c'est la dernière mode ! » rétorquait sa fille.

Bref, quel que soit le motif, la demoiselle coucou refusa de rendre service à son père. Ce dernier, que son dos démangeait furieusement, alla se frotter contre un rocher pointu. Il se blessa. La plaie s'infecta. Il mourut. Lamentable histoire… La jeune fille coucou en éprouva un tel chagrin que depuis, elle répète : « Kakkô… kakkô… ! » Ce qui signifie, en japonais : « Je gratterai… je gratterai… » Oui, je gratterai le dos de mon papa.

Hélas, il est trop tard !

Le remords est une plaie ouverte. Il a des effets délétères sur les autres, et sur soi. Il convient, dit le sage, d'assumer ses erreurs, d'offrir réparation, et de passer outre.

Les fleurs au printemps, la lune en automne,
La brise fraîche en été, la neige en hiver.
Débarrasse ton âme de toute pensée vaine
Chaque saison sera pour toi un enchantement.

Mumon (1183-1260),
maître zen et poète chinois

Monsieur Han

L'honorable M. Han, mandarin de haut rang, jouissait en sa campagne d'une retraite aimable. Il ne détestait pas la société, et recevait souvent M. Siu, un voisin, de commerce agréable. Ce jour-là, ils devisaient tous deux sous les frais ombrages, prenant le thé, mangeant quelques gâteaux de riz, quand le bruit d'une altercation leur parvint des cuisines. M. Han s'informa. Un moine mendiant voulait être reçu par le maître de maison en personne !

« Il insiste avec impudence… expliqua l'intendant.

— Laissez-le venir ! » fit M. Han.

Le moine zen, vêtu d'une robe usagée et trouée, ne payait pas de mine. M. Han l'interrogea avec bonté…

« Je suis arrivé récemment dans votre petite bourgade, dit le misérable clerc. Je me suis installé dans le temple en ruine, à l'est de la ville. On m'a instruit de votre générosité, et me voici ! »

Tout en parlant, le moine loqueteux se servait largement de la nourriture étalée sur la table. Il appréciait les gâteaux de riz, autant les salés que les sucrés. Il picorait à son aise dans les bols de porcelaine, croquant ici des graines de potiron, là de tournesol. Il ne dédaignait pas les brioches de viande, il en engloutit trois, parfumées aux grains de sésame et de lotus. Entre deux bouchées, il grappillait des amandes et des fruits secs, et pour faire glisser le tout, il buvait force tasses de thé. Une vingtaine, comptabilisa M. Siu, que l'effronterie du personnage scandalisait.

Le moine prit ainsi le pli de venir régulièrement dans la maison de M. Han. Il arrivait habituellement à l'heure de la collation. Il s'invitait à table, se servait copieusement et buvait à satiété. M. Han le regardait opérer avec un sourire indulgent. M. Siu le supportait de plus en plus mal. Un après-midi, alors que le moine avalait sa douzième tasse de thé et mordait sans vergogne dans un succulent gâteau de riz, M. Siu l'interpella avec un brin d'ironie :

« Saint homme, mon ami M. Han et moi-même sommes flattés de votre constance à partager nos humbles repas, peut-être accepterez-vous de nous recevoir à votre tour ? »

Le moine répondit avec calme :

« Venez quand vous le voudrez, mais vous le savez, j'habite des ruines, et j'aurai bien du mal à vous offrir autre chose que des tasses d'eau claire ! »

Et il s'esclaffa.

❧

Quand ils arrivèrent devant les anciennes ruines du temple, où le moine avait établi sa demeure, M. Han et M. Siu furent ébahis. On avait réalisé d'importants travaux. Le bâtiment central était entièrement restauré. Ils pénétrèrent dans une salle magnifique, où une immense table couverte d'une nappe brodée les attendait. Des mets à profusion s'étalaient sous leurs yeux émerveillés. Ils prirent place sur des lits. Seize jeunes et beaux garçons, vêtus de robes d'apparat, chaussés de sandales rouges, les servaient avec diligence, attentifs à leurs moindres désirs. On leur offrit, dans des plats de cristal et de jade, des fruits inconnus et délicieux. Leur hôte lui-même, vêtu de brocart et d'or, leur versait, dans des coupes larges d'un pied, un vin parfumé digne des immortels.

Soudain, le moine frappa dans ses mains :

« Que l'on fasse venir les sœurs Cheh ! » s'écria-t-il.

Un serviteur s'empressa, et revint bientôt accompagné de deux jeunes filles ravissantes ; leurs tailles souples pliaient comme des saules. La plus grande jouait de la flûte, la plus jeune chantait d'une voix délicate et cristalline. Ensuite, elles se mirent à danser. Leurs longues robes flottaient sur le sol, un nuage de parfum enivrant les enveloppait. M. Han et M. Siu sentirent « leur cœur s'élargir et leur âme s'envoler ». À ce moment, le moine invita la plus jeune danseuse à le rejoindre sur sa couche, tandis que la plus grande, penchée sur eux, les éventait doucement. M. Han et M. Siu, légèrement ivres, étourdis par le vin merveilleux qu'ils avaient bu, regardaient ce spectacle avec stupeur. Le premier, M. Siu réagit :

« Ce moine est décidément un personnage impudent, éhonté ! »

Et il se leva en titubant, mais quand il s'approcha, le moine avait disparu :

« Monsieur Han ! appela-t-il, venez ! ces jeunes filles sont prêtes... »

Et M. Siu s'allongea avec la plus jeune sur la couche que le moine venait de quitter. M. Han à son tour prit dans ses bras la plus grande, dont la taille pliait comme un saule, et s'étendit à côté d'elle. Alors le ciel s'éclaira. Le songe d'ivresse se dissipa. M. Han et M. Siu serraient entre leurs bras de froides dalles de pierre. Ils étaient couchés au milieu de ruines, de bâtiments abandonnés, et de chambres démolies.

Ainsi a-t-il été rapporté.

Tout en ce monde est illusion. Tout en ce monde est éphémère. L'enfant disparaît, l'adolescent s'évanouit, et que reste-t-il de l'adulte, quand vient le grand âge ?

Tout change, tout s'enfuit. Mais toi, qui que tu sois, tu n'es pas seulement ce petit tas de secrets, de peurs, de désirs et de cris, que tu appelles « moi », tu es la Réalité immortelle, « TAT TWAM ASI », « TU ES CELA », qui ne meurt pas, tu es l'Absolu, tu es l'Infini.

Tout change, tout fuit, tout meurt, l'éternel Atma seul demeure.

La légende de Sariputara

Il y a de cela des ères et des ères, au sud de l'Himalaya, dans un pays appelé aujourd'hui le Népal, vivait un jeune et fidèle disciple de Bouddha, que l'on nommait Sariputara.

Un beau matin de printemps, le disciple, simplement vêtu de sa robe de moine, les sandales aux pieds, se rendait au bord de la rivière. Je serai plus à mon aise dans la nature pour méditer et faire *zazen,* se disait-il. Je n'ai guère envie, par cette belle journée, de rester enfermé dans la triste salle du couvent.

Le jeune homme s'installe parmi les fleurs, sous le saule au doux ombrage. Les jambes repliées en lotus, le torse droit, les yeux à demi fermés, les mains au périnée (la droite sur la gauche, selon la tradition indienne), la respiration égale, il commence sa méditation. Mais bientôt le bavardage des oiseaux, les poissons dans l'eau claire, qu'il aperçoit furtivement sous ses paupières baissées, le distraient. C'est intolérable, se dit-il. Je ne puis méditer dans ces conditions. Alors il décide de supprimer radicalement les causes de sa dissipation. Je suis assis en zazen parfait, et ces stupides animaux viennent me déranger ! Mû par une juste colère, il se lève, tue les oiseaux et les poissons, et, afin d'en être définitivement débarrassé, il en fait son repas. Il reprend la posture. Mais à peine a-t-il fermé les yeux, concentré sa pensée, qu'il sent son estomac gargouiller, tripes et boyaux se révulser. Il a trop mangé, il ne peut toujours pas méditer.

Ce ne sont ni les oiseaux ni les poissons qui nous troublent, dit le sage zen, mais la façon dont nous les accueillons.

Il suffit de changer le regard

Un peintre honoré à la cour du Japon avait deux chats. Le premier était un gros chat roux, une brute de l'espèce, un monstre, un géant, les oreilles couturées, un œil en bandoulière, et avec cela des griffes énormes, qui, même au repos, semblaient des cimeterres. Effrayant ! Il y avait aussi une petite chatte crème, avec un museau pointu ourlé de blanc, des yeux bleus innocents, une queue de gentil écureuil.

Or, ce matin-là, un ami rendait visite au peintre. Après avoir admiré ses œuvres les plus récentes, et une ancienne, le mont Fuji Yama coiffé de neige, qu'il contemplait toujours avec délectation, il remarqua par hasard deux ouvertures, l'une grande, l'autre petite, au bas de la porte de l'atelier.

« À quoi te servent ces curieuses aérations dans ta porte ? questionna l'ami en plaisantant.

— Vois-tu, j'ai deux chats », expliqua le peintre, et il décrivit avec complaisance le caractère et les habitudes de ses animaux familiers.

Il conclut :

« Le grand trou est pour le chat roux, le petit pour la gentille chatte siamoise.

— Mais, dit l'ami en riant, ne crois-tu pas que la petite chatte pourrait aisément passer par le grand trou ?

— C'est vrai ! s'exclama le peintre. Ma foi, je n'y avais jamais pensé ! »

Le maître chinois Shou-Shan (926-993) avait l'habitude de tester ainsi ses nouveaux disciples :

Il levait sa canne de bambou et disait :

« Ô moine, si vous appelez ceci une canne de bambou, vous la fixez dans un mot, et vous n'avez pas la vision zen, qui va au-delà des mots, et perçoit l'invisible dans le visible, l'infini dans le fini, et dans chaque chose la Voie éternelle. Mais si vous ne l'appelez pas canne de bambou, vous allez à l'encontre du fait, vous niez la réalité, vous errez dans le monde faux de l'illusion. Ainsi vous ne pouvez ni dire quelque chose, ni ne rien dire. Alors que dites-vous, que faites-vous ? Dites-le, dites-le vite ! »

Cette énigme (ce *koan*[11]) n'a qu'une solution : le jaillissement d'un mot ou d'un geste, qui admette la réalité et en même temps la transcende. Placé devant un dilemme équivalent par le maître Pai-Chang, à propos d'une carafe, le moine Wei-Chan, qui devint plus tard un maître éminent, trouva d'emblée la réponse juste : il renversa la carafe d'un coup de pied.

Il était une fois un empereur, qui voulait choisir en qualité de Premier ministre le plus sage, le plus avisé de ses sujets. Après une série d'épreuves difficiles, il ne resta en lice que trois concurrents :

« Voici le dernier obstacle, l'ultime défi, leur dit-il. Vous serez enfermés dans une pièce. La porte sera munie d'une serrure compliquée et solide. Le premier qui réussira à sortir sera l'élu ! »

Deux des postulants, qui étaient fort savants, se plongèrent aussitôt dans des calculs ardus. Ils alignaient des colonnes de chiffres, traçaient des schémas embrouillés, des diagrammes hermétiques. De temps en temps, ils se levaient, examinaient la serrure d'un air pensif, et retournaient à leurs travaux en soupirant.

Le troisième, assis sur une chaise, ne faisait rien. Il méditait. Tout à coup, il se leva, alla à la porte, tourna la poignée : la porte s'ouvrit, et il s'en alla.

Trois histoires, trois récits fort différents, mais qui nous disent la même chose. La solution est là, évidente et simple. Il suffit pour la découvrir de « changer le regard ». Parce qu'il ressent vivement le contraste entre ses deux chats, le peintre avoue en souriant qu'il n'imaginait pas les faire passer par le même trou. Otage des mots, de l'articulation du langage, le moine interrogé par le maître n'ose passer outre et jeter la canne de bambou par la fenêtre. Les candidats au poste de Premier ministre se croient prisonniers, alors qu'ils sont libres, qu'ils ont toujours été libres. Image des hommes, nous dit le Zen, qui gémissent dans des chaînes imaginaires. Nous sommes libres et heureux, il suffit, pour le savoir, et le vivre, de *changer notre regard*.

Le taureau et les cent chariots de pierres

La légende rapporte que Shakyamuni, le Bouddha, naquit dans l'une de ses vies antérieures sous la forme d'un petit veau. Traité avec gentillesse et affection par son maître, un noble brahmane, le bouvillon devint un taureau puissant et doux. Il voulut récompenser le saint homme, et lui apparut en songe :

« Maître, dit-il avec respect, propose un défi à ton voisin, le riche marchand. Affirme-lui que je serai capable de tirer cent chariots emplis de pierres. Engage sur ce pari mille pièces d'or ! »

Le noble brahmane croyait aux rêves. Il alla trouver le riche marchand et lui parla de ce défi. Le voisin estima que le saint homme était un simple, ou un fou. Mais il était avide et sans scrupules, il accepta, tout en riant sous cape de la naïveté du bonhomme.

Au jour convenu, le brahmane fit charger cent chariots de pierres. Il attela le taureau, s'empara des rênes. Il était anxieux. Il avait misé toute sa fortune sur ce pari, et il s'écria :

« Tire, tire, même si tu dois mourir sous l'effort, j'ai engagé mille pièces d'or, et je ne suis pas riche ! Tire ! » hurla-t-il, et il fouetta cruellement l'animal.

Le taureau roulait ses puissantes épaules, mais il semblait cloué au sol, et les chariots ne bougèrent pas.

« Maudit eunuque ! Je te ferai égorger, et j'abandonnerai ta charogne aux vautours ! »

Rien n'y fit. Les cent chariots ne s'ébranlèrent pas d'un pouce. Le brahmane perdit son pari. Il donna mille pièces d'or au marchand, qui se moquait ouvertement de lui. Ruiné et honteux, il entra dans sa demeure et s'endormit dans son chagrin.

Or, cette même nuit, le taureau lui apparut à nouveau. Il parla ainsi :

« La douceur, la bonté, les paroles aimables sont plus efficaces que les injures et les coups. Interroge la compassion qui est au fond de ton cœur, et tu gagneras ton pari. Relève le défi, et propose cette fois deux mille pièces d'or à ton voisin ! »

En s'éveillant le lendemain, le brahmane se souvint de son rêve. Il hésitait. Je vais sans doute me ridiculiser, se disait-il, mais je suis ruiné, et je n'ai plus rien à perdre. Après tout, pourquoi ne pas tenter cette gageure... Le marchand l'écouta avec incrédulité. Ce saint homme est vraiment trop stupide, songea-t-il, mais tant pis pour lui ! Deux mille pièces d'or sont toujours bonnes à prendre.

Il accepta le défi.

Au jour dit, on remplit cent chariots de lourdes pierres. Le marchand vérifia soigneusement que tous étaient garnis à ras bord. Le taureau semblait guilleret. Il portait autour du cou une guirlande de fleurs, et on l'avait nourri le matin même avec du riz parfumé. Quand le signal du départ fut donné, le brahmane lui murmura à l'oreille :

« Ô taureau mon ami, mon cher Nida-Visala, je t'ai toujours bien traité depuis l'heureux jour de ta naissance. Je t'ai nourri de bon gruau, soigné, protégé, alors que tu n'étais qu'un petit veau sur ses pattes vacillantes. C'est que j'ai pour toi beaucoup d'affection, mon cœur est plein de compassion et d'amour pour tous tes frères... »

Ayant dit, le brahmane monta sur le premier char, fit claquer doucement sa langue, et le taureau, dans un effort titanesque... ébranla les cent chariots, et les tira sur une distance de douze mètres.

Les deux moines et la jeune femme

Deux moines, l'un jeune, l'autre vieux, robes safran, crânes rasés, sandales aux pieds nus, rentrent en leur couvent un beau soir d'été.

« Notre journée a été longue et fatigante, frère Ushi, dit le plus jeune, mais nous avons bien honoré Bouddha, et récolté en mendiant notre content de riz et de pièces de cuivre. Le maître nous félicitera certainement !

— Oui... fait distraitement le moine plus âgé, et il ajoute avec bonté : Ne soyez pas inquiet, frère Toshibu, le maître apprécie votre zèle. »

Les saints hommes poursuivent leur voyage en silence. Soudain, au détour du chemin, une rivière barre la route. Sur le bas-côté, une jeune femme séduisante aux vêtements coûteux est assise sur une grosse pierre, et semble attendre du secours. Ni barque, ni passeur. Le moine plus âgé, avec simplicité, prend la femme dans ses bras et lui fait traverser la rivière sans qu'elle se mouille le bout des souliers. La délicieuse créature le remercie d'un sourire et s'en va. Les deux moines continuent leur chemin. Long silence. Brusquement, n'y tenant plus, le jeune moine s'écrie :

« Frère Ushi ! Ne savez-vous pas que la règle nous interdit strictement tout contact et tout commerce avec les femmes ! »

Le vieux moine poursuit son chemin sans répondre :

« Frère Ushi ! dit le jeune moine, qui s'échauffe, comment avez-vous pu porter dans vos bras une femme belle et parfumée, et lui faire traverser la rivière ?

— Frère Toshibu, dit le vieux moine. Serait-ce que vous sentez encore le poids de cette femme ? Il y a pourtant longtemps que nous l'avons laissée derrière nous ! »

Voilà un conte qui appelle au silence, et dispose à un certain sourire...

La jeune reine n'aimait pas le roi...

Dans ce petit royaume du nord de l'Inde, la tristesse recouvrait bêtes et gens, paysans, courtisans, de son voile noir. La reine n'aimait pas le roi. Pourquoi ? Ah ! Comment expliquer ces choses ? Le destin contraire... un rien, peut-être, un œil trop pâle ou trop noir, un geste, que sais-je ? La reine n'aimait pas le roi. Un jour, le fils du chapelain de la cour, un jeune homme de belle prestance, rencontra la reine vêtue de ses habits de cérémonie. Il fut ébloui. Il aima la reine. Elle l'aima en retour. Que faire ? Le jeune homme dépérissait, se rongeait d'amour. La reine se consumait, pleurait en secret. Le roi faisait peine à voir. Il fallait trancher. Le souverain, qui était juste et bon, fit venir le fils du chapelain :

« Senaka, dit-il, je sais ta droiture et ta fidélité, et ton amour. Voici ma proposition : je te prête la reine pendant sept jours. Aime-la, et rends-la-moi guérie et heureuse, dans une semaine exactement ! »

Senaka et la reine partirent dans un lieu discret, où ils s'aimèrent pendant sept jours, selon l'ordre royal. Mais leur passion, bien loin de s'éteindre, s'enflamma, s'exalta jusqu'à la folie. Le huitième jour, ils s'enfuirent. Le roi, cruellement trahi, devint le plus malheureux des hommes. Tantôt il était résolu à déclarer la guerre au royaume voisin, et à récupérer les amants rebelles par la force, tantôt il parlait de mourir. Il souffrait de si atroce façon que le sang lui coulait des entrailles. Il demanda conseil au bodhisattva[12] qui vivait à la cour :

« Ô sage, tu connais mon malheur, que dois-je faire ? »

Le bodhisattva réfléchit plusieurs jours et parla ainsi :

« Ô grand roi, s'il se trouvait parmi tes sujets un homme capable d'avaler un sabre aiguisé, lui accorderais-tu une récompense extraordinaire ?

— Sans doute… fit le roi.

— Ô grand roi, s'il se trouvait dans tout le royaume un homme capable d'avaler un sabre finement aiguisé, lui accorderais-tu même le cœur de la reine ?

— Si un tel homme existait, il serait protégé par les dieux, et je lui accorderais même le cœur de la reine.

— Ferais-tu ce don précieux sans colère, sans amertume, sans regret ?

— Oui, certainement, dit le roi.

— Alors s'il existait un homme, fit le bodhisattva, qui n'avalait pas en son entier un sabre finement aiguisé, mais qui accomplissait un exploit encore plus incroyable : émouvoir le cœur de la reine ?

— Si un tel homme existait, fit le roi, capable de se faire aimer de la reine, que je connus toujours froide et insensible, je la lui accorderais !

— Eh bien, fit le bodhisattva, le fils de ton chapelain a réalisé cet exploit inconcevable ! »

Le roi médita ces paroles. Il accepta sans colère, sans amertume, sans regret de donner le cœur de la reine. Aussitôt, le sang cessa de couler de ses entrailles. Il connut la paix intérieure. Il avait atteint « l'autre rive ».

« Si quelqu'un ne comprend pas ce discours, qu'il ne s'inquiète pas. Car s'il ne trouve pas cette vérité en lui-même, il ne peut comprendre ce que j'ai dit. En effet, c'est une découverte qui vient directement du cœur de Dieu[13] », écrit Maître Eckhart.

Le marchand de soie

Il était une fois un marchand de soie qui gravissait une montagne, sous la chaleur brûlante de midi. Il traversait le pays de Corée, où l'on trouvait beaucoup de brigands, et pour se donner du courage, il fredonnait une chanson :

« Je suis le marchand de soie,
qui vient de Chine.
Mes étoffes ont belle mine
Dans ma hotte de bois.
J'ai des rouleaux pour les parents
J'en ai pour les enfants.
De la soie, verte, blanche ou dorée.
Pour vingt brassées, je fais un rabais.
Achetez, achetez-en
Vous serez tous contents !
Je suis le marchand de soie,
Qui vient de Chine.
Mes étoffes ont belle mine
Dans ma hotte de bois.
Trala, lala, lala, lala... »

La journée s'avançait, et il faisait de plus en plus chaud. Le marchand de soie résolut de s'offrir une sieste sous un arbre. Il choisit un endroit paisible et ombragé à proximité d'un tombeau sur lèquel veillait une mangdusõk, statue traditionnelle, taillée dans le granit. Quand le marchand s'éveilla, le soleil déclinait à l'horizon. Il s'ébroua, jeta un coup d'œil autour de lui, et poussa un cri. Sa hotte était vide. Pendant son sommeil, un voleur avait dérobé tous ses rouleaux de soie ! Désespéré, le marchand se hâta vers la ville voisine. Il demanda audience au préfet qui gouvernait la province pour réclamer justice.

Le gouverneur le reçut dès le lendemain matin. Il écouta avec attention le marchand et l'interrogea :

« Avant de t'assoupir, as-tu remarqué une présence dans les environs ?

— Non, Seigneur, il n'y avait que la mangdusõk, qui fixait le tombeau de ses yeux de pierre.

— Ah, ah ! dit le préfet. La mangdusõk... veillait. Je vais réfléchir à ton problème. Reviens demain, je te dirai ce que j'ai décidé. »

Le lendemain était le jour où le préfet rendait la justice devant le peuple assemblé. Quand l'affaire du marchand de soie fut évoquée, il ordonna à ses gardes :

« Allez me chercher la mangdusõk qui garde le tombeau. Elle connaît le voleur, et c'est le seul témoin ! »

Les gardes, un peu étonnés, mais habitués à obéir sans discuter, partirent dans la montagne. Ils ramenèrent la lourde statue de granit et la déposèrent au pied de l'estrade. Le préfet ordonna qu'on l'attache au poteau de justice :

« Donnez-lui vingt coups de fouet, elle nous dira qui était le voleur ! »

La statue demeurait silencieuse. Le préfet s'écria :

« Qu'on lui administre cent coups de fouet ! On verra bien si elle s'obstine à garder le silence ! »

Dans la foule, les premiers rangs s'agitèrent.

« Notre préfet est devenu fou ! » disaient les habitants, et les rires fusèrent.

La mangdusõk se taisait toujours. Pas un tressaillement, pas un battement de paupière sur les yeux de pierre. Le préfet, rouge de colère, s'exclama :

« Donnez-lui cent coups de bâton ! »

Et le fouet sifflait, et le bâton frappait de plus en plus fort, sans autre résultat que l'impassibilité et le silence. Quelques insolents s'enhardirent à brocarder Son Excellence, monseigneur le gouverneur :

« Il a perdu l'esprit !

— Frappe tant que tu voudras, qui peut faire parler une statue de pierre ?

— Hou ! ce préfet est un dément, ou il est ivre ! »

Et les rires d'éclater de plus belle.

Alors, Son Excellence tourna vers la foule des yeux sévères :

« Holà, gardes ! dit-il, que l'on saisisse sur-le-champ les rieurs, les insolents, les rebelles qui osent se moquer de leur seigneur, et qu'on les jette dans un cul-de-basse-fosse ! »

Ensuite il se tourna vers le marchand de soie, et l'assura :

« Mon ami, ne crains rien, tu retrouveras ton bien. »

Le lendemain, le préfet fit ouvrir la prison, et ordonna que l'on amenât devant lui les dix impertinents arrêtés la veille. Ceux-ci avaient eu le temps de réfléchir à leur sort, et ils avancèrent en tremblant.

« Vous méritez la mort, dit le préfet, vous avez perturbé le bon déroulement d'une cour de justice, et bafoué votre seigneur ! »

Les dix prisonniers se jetèrent aux genoux du préfet en implorant sa pitié.

« Je veux bien vous faire grâce, dit le gouverneur, à une condition.

— Nous ferons tout ce que vous ordonnerez, firent-ils d'une seule voix.

— Vous vous présenterez ici dans trois jours avec un rouleau de belle soie ! »

Au jour dit, le préfet fit appeler le marchand :

« Reconnaîtrais-tu la soie que l'on t'a volée ?

— Oui, seigneur !

— Faites entrer les dix prisonniers ! » commanda le gouverneur.

Ils avancèrent le front baissé, chacun tenant entre ses bras, en un geste d'offrande, un rouleau de belle soie, blanche, verte, dorée...

« C'est mon bien, c'est ma soie ! » s'écria le marchand.

Une enquête permit de confondre un certain Tchou, riche commerçant dans la ville voisine, qui avait fait dérober la soie par un serviteur. Il l'avait vendue sans scrupules aux dix notables arrêtés par le préfet. Il fut puni pour son crime, selon les rigueurs de la loi.

Derrière sa croisée, le gouverneur regarde s'éloigner le marchand de soie. Il perçoit longtemps l'écho de son chant :

« Je suis le marchand de soie,
qui vient de Chine.
Mes étoffes ont belle mine
Dans ma hotte de bois.
J'ai des rouleaux pour les parents
J'en ai pour les enfants.
De la soie, verte, blanche ou dorée.
Pour vingt brassées, je fais un rabais.
Achetez, achetez-en
Vous serez tous contents !
Je suis le marchand de soie,
Qui vient de Chine.
Mes étoffes ont belle mine
Dans ma hotte de bois.
Trala, lala, lala, lala... »

Jour après jour, d'instant en instant, nous habitons la vérité, la lumière, la liberté. Notre vie est tissée dans la robe sans couture du présent.

« J'enseigne l'éternité », disait le Bouddha.

« Où vas-tu, marchand de soie ?
— J'y suis déjà ! »

LE ZEN EST UN CHEMIN QUI VA...
Il y a dix, cent, mille entrées,
pour accéder à la « conscience de soi spirituelle »,
à la « vision zen ».
J'en ai dans ce livre exploré quelques-unes.
Prenez celle que vous voudrez :
La plus simple, la plus drôle, la mieux fleurie,
La plus proche, l'exotique, l'extraordinaire...
ELLES MÈNENT TOUTES
À LA PAIX,
AU BONHEUR ZEN.

La tsampa

Conte humoristique

À base d'orge grillé, ou grillée, puisque les deux genres sont licites, la *tsampa* est le plat traditionnel des Tibétains. L'orge réduite en farine, mêlée parfois de blé ou de pois, est détrempée, pétrie dans un thé beurré et salé. La tsampa sert à tout, en tout lieu. Le moine errant la mange dans son bol de bois, à la façon de Gargantua « qui se peignoit du peigne de Almain. C'estoit, précise le malicieux Rabelais, des quatre doigtz et le poulce[14] ». Ainsi le moine seul face aux montagnes enneigées utilise la cuiller de « Almain », il mange avec ses doigts.

Ces indications étaient peut-être utiles, au moins pour sourire, et mieux goûter le conte qui vient.

Il était une fois de pauvres gens dont la masure côtoyait la belle demeure d'un riche propriétaire. Cette année-là, l'hiver était rude. Agabunda ne parvenait plus à nourrir les siens. Le voisin recelait dans ses greniers des montagnes d'orge. Lui demander l'aumône, implorer sa pitié ? Démarches vaines. Le voisin ne donnait qu'à ceux qui pouvaient lui rendre. Il n'accorderait rien à un misérable. Alors, un soir, Agabunda, désespéré, eut une idée. Il alluma un grand feu dans sa cour, un feu somptueux, qui brillait dans la nuit. Le riche voisin, intrigué, s'approcha :

« Hum ! Agabunda, veuille me pardonner, si je suis indiscret, mais que fais-tu brûler ainsi ?

— Oh, répondit négligemment l'interpellé, un cousin qui rentrait aujourd'hui de la capitale m'apprend qu'en raison de l'hiver rigoureux, la tsampa atteint en ce moment des prix incroyables. Je fais cuire quelques kilos d'orge, et j'irai les vendre à Lhassa ! »

Le riche propriétaire revint chez lui tout songeur. Il décida de griller une belle quantité d'orge, et de profiter lui aussi de l'aubaine.

Quelques jours plus tard, Agabunda et son voisin prenaient la route de la capitale. Ils avaient résolu de voyager ensemble. S'ils étaient attaqués en chemin, se disait le riche propriétaire, Agabunda, placé en tête du convoi, recevrait les premiers coups. Sur son âne, Agabunda avait disposé trois sacs emplis à ras bord de feuilles mortes. Le yack du riche propriétaire portait sur son dos trois gros sacs gonflés de bonne farine d'orge grillée. En chemin, la nuit tomba. Ils dormirent dans un petit temple abandonné. L'endroit était misérable. Il ne restait dans un coin qu'une statue en bois de Bouddha, dont le nez était rongé par l'humidité. Un peu avant l'aube, Agabunda se leva sans bruit. Il sortit les feuilles mortes de ses sacs et les donna à manger à son âne. Ensuite, il remplit ses sacs avec l'orge grillée de son compagnon. Enfin, il déposa les sacs vides d'icelui sur les bras du Bouddha, en prenant soin de lui barbouiller la bouche et le visage de bonne farine.

Le matin, quand il s'éveilla, le riche propriétaire constata le désastre. Il poussa des cris abominables :

« Au voleur ! Au voleur ! Ma bonne tsampa ! »

Imperturbable, Agabunda montra du doigt le Bouddha, la bouche encore barbouillée d'orge grillée.

« Shakyamuni, l'Éveillé, devait avoir très faim, dit-il avec conviction, pendant la nuit, il a dévoré toute votre tsampa, il s'en est fallu d'un cheveu qu'il ne s'attaque à la mienne ! Mais je ne veux pas vous laisser ainsi, partageons ! »

Il donna un sac et la moitié d'un autre au riche propriétaire, qui accepta avec un sourire contraint et ne parla plus tout le reste du chemin.

Que le riche prenne garde, dit le sage, s'il refuse de donner un peu de tsampa à son voisin, Bouddha la lui dérobera et la mangera.

Une tasse de thé

Il était une fois une jeune fille de haute naissance, merveilleusement belle. Son père resté veuf l'élevait selon son rang. Elle ne quittait jamais les jardins du palais. Elle étudiait le dessin, la peinture, la poésie, l'art des bouquets, pratiquait la musique, où elle excellait. Son cœur était neuf, et son âme sensible. Parfois, au fil de ses rêves, elle contemplait par sa croisée la rivière, en contrebas, qui baignait le vaste domaine.

On songe aux vers du poète :

[...] une dame à sa haute fenêtre
Blonde aux yeux noirs en ses habits anciens
Que, dans une autre existence peut-être
J'ai déjà vue... et dont je me souviens[15] *!*

L'héroïne de ce conte n'est pas une blonde châtelaine du Moyen Âge, mais une princesse vietnamienne de temps plus anciens. Les âmes romanesques semblables et différentes sont comme les roses au jardin.

Un soir d'été, My-Nuong, accoudée à la haute croisée, entendit un chant merveilleux, une voix d'homme ample et puissante et dans le même temps si juste, si harmonieuse, que son cœur fut touché. Elle aperçut dans le lointain un batelier, qui maniait sa gaffe sur la rivière. Le chant lui parvenait maintenant si pur, si musical, si éblouissant, qu'elle frissonna jusqu'aux os. Jour après jour, elle prit l'habitude, quand le soir tombait, d'écouter la voix du pêcheur. Son cœur de jeune fille sage s'enflamma. Quand l'automne vint, le pêcheur s'en alla. Alors My-Nuong s'alita. Elle maigrissait, perdait sa beauté, s'éteignait comme une chandelle. Son père désespéré appela à son chevet les médecins les plus réputés du royaume. En vain. La belle princesse doucement se mourait. Un soir, au commencement de l'hiver, la voix fut de retour. La jeune fille, réunissant ses dernières forces, se traîna jusqu'à la croisée. Le pêcheur était sur la rivière, ramassant ses filets. My-Nuong l'écouta avec ravissement. Il revint tous les jours. Elle recouvra progressivement la santé. Mais fin janvier, la voix se tut à nouveau. Le pêcheur était parti vers d'autres cieux.

Alors My-Nuong tomba malade. Elle refusait de s'alimenter. Elle ne s'intéressait plus à la peinture, ni à la poésie, ni à l'art des bouquets, ni même à la musique, où elle excellait. Son père, à force d'obstination et de prières, lui arracha son secret. Le seigneur aimait son unique enfant, il fit taire ses préjugés. Il ordonna que l'on cherche dans tout le royaume le pêcheur à la voix merveilleuse. On le trouva. L'homme se nommait Truong-Chi. Il était âgé, d'une laideur repoussante. Ses mains étaient abîmées par le rude travail quotidien, son dos voûté, son visage ridé, brûlé par le soleil, était presque difforme. Quand My-Nuong le vit, elle fut effrayée. Son amour s'éteignit comme une bougie que l'on souffle. Le chant lui parut moins exaltant. Elle reprit une vie normale, un peu plus triste, mais calme, paisible. Le pêcheur, à quelque temps de là, mourut. Peu après, les gens du village découvrirent dans la rivière une boule de jade qui émettait un son très pur quand on la tenait dans ses mains. Ils l'apportèrent au seigneur. Celui-ci la fit tailler en forme de tasse de thé. Il offrit ce cadeau à sa fille à l'occasion de son dix-huitième anniversaire. Un après-midi, la princesse My-Nuong buvait son thé, et son âme romanesque s'envolait au-delà des murs du palais, quand il lui sembla apercevoir, au fond de sa tasse, la barque et le pêcheur. Elle crut entendre une voix d'homme ample et puissante, et dans le même temps si juste, si harmonieuse, que son cœur fut touché. Elle comprit alors que ce n'était pas le pêcheur, qu'elle avait aimé, mais l'infini de ses rêves. Tout est musique, quand le cœur est prêt.

« Le chemin des oiseaux »

En Chine, la longue route qui mène à l'Illumination, la « voie de l'Éveil », est appelée dans les textes anciens le « chemin des oiseaux ». L'image est belle, et porteuse de sens. En effet, connaître l'Éveil, c'est, par des chemins inusuels, qui ne laissent pas plus de trace au ciel qu'un vol d'hirondelle, accéder à notre nature originelle, retrouver le nid.

Voici l'histoire véridique de Nan-Ta-Kuang-Yun, maître du Tch'an, qui vécut au pays de Chine de 850 à 938.

Le jeune Nan-Ta fut ordonné moine par le sage Yang-Shan, son maître. Ensuite, il résolut d'aller suivre l'enseignement du célèbre Lin-Tsi. Il resta absent de longues années, mendiant sur les routes, priant, méditant. Un jour, il revint. Son maître voulut savoir s'il avait connu l'Éveil, s'il avait passé la « porte sans porte », s'il était libéré des formes, s'il savait ne sachant rien « toutes les réponses à toutes les questions »... Il l'interrogea ainsi :

« Pourquoi viens-tu ?

— Je viens pour vous saluer, et vous présenter mes respects, maître !

— Me vois-tu ?

— Je n'ai pas perdu mes yeux pendant ces années, je vous vois, maître !

— Alors, dis-moi, trouves-tu que je ressemble à un âne ?

— Je trouve que vous ne ressemblez pas au Bouddha !
— Et pourquoi ne ressemblé-je pas au Bouddha ?
— Si vous ressembliez au Bouddha, quelle différence y aurait-il avec un âne ? »

En entendant cette réponse, le vieux maître ouvrit les bras à son disciple. Nan-Ta avait accédé à la Réalité profonde, où toutes les formes sont « unes » ; il était passé au-delà des apparences. Il vivait désormais dans la paix que rien ne trouble, le bonheur qui ne passe pas. Il avait connu l'Éveil. En mendiant ici et là sur les routes, il avait suivi le chemin des oiseaux.

Tokusan

Tokusan, maître de Zen, était un érudit fameux. Il avait lu, et pouvait réciter de mémoire des centaines de sûtras. Aucune difficulté spirituelle ne le rebutait. Pendant les *mondõs,* ces échanges vifs, ces « disputes » rituelles entre moines, il se montrait sans rival. Mais hélas, il n'avait jamais connu le Satori, la joie parfaite de l'Éveil.

Un jour, il entendit parler d'un maître de Zen, nommé Ryutan, qui jouissait d'un tel prestige, possédait un tel charisme, que ses disciples l'avaient surnommé le « dragon du lac ». Il résolut de faire sa connaissance, et de se mesurer à lui. Il entreprit le long voyage à l'autre bout du Japon. Le maître le reçut avec indifférence, et lui confia des tâches subalternes. Tokusan, l'érudit fameux, devait balayer la cour du temple, nettoyer les couloirs, puiser de l'eau, couper du bois. Ainsi s'écoulaient les jours. Tokusan rongeait son frein. Comment, disait-il, moi, le maître de Zen que chacun révère, je suis réduit au rôle de novice ! Je croyais rencontrer ici le « dragon du lac » ! Mais si je vois le lac, je me demande bien où est le dragon ? Ryutan, à qui ces propos avaient été rapportés par un moinillon zélé, fit enfin savoir à Tokusan qu'il acceptait de « disputer » un mondõ avec lui.

Le jour venu, en présence des membres les plus avertis de la communauté, le mondõ commença.

Pendant des heures, ce fut un échange éblouissant de questions et de réponses. L'un proposait un aphorisme, que l'autre réfutait sur-le-champ. Tous deux faisaient assaut d'agilité intellectuelle, utilisaient des arguments inédits, et les citations pleuvaient...

« Que sont les myriades de mondes qui composent l'Univers ? demandait Tokusan.

— Ce sont, aux yeux du Bouddha, rien de plus que des pépins de fruits, répliquait le maître Ryutan.

— Et le grand lac de l'Inde ? insistait Tokusan l'érudit.

— À peine une tache d'huile ! Pouvez-vous me dire ce qu'est le chemin sacré de l'Illuminé ? interrogeait à son tour Ryutan.

— Le reflet des fleurs dans l'œil de celui qui les regarde ! » rétorquait victorieusement Tokusan.

Et les questions et les réponses se succédaient, sans que l'on parvînt à les départager. La nuit tombait, et l'on décida d'interrompre le mondõ jusqu'au lendemain. Tokusan sortit le dernier, et comme la nuit était très sombre, Ryutan lui prépara une lanterne. Mais au moment où il la lui tendait sur le seuil, il souffla délibérément la flamme. Alors Tokusan l'érudit connut la joie parfaite, l'éblouissement de l'Éveil, qu'il avait espéré, et cherché, toute sa vie.

Gongjing le chauve

En ce temps-là, un gouverneur de province nommé Gongjing souffrait d'une disgrâce qui le perturbait plus que de raison. Il était chauve. Mais entièrement chauve, son crâne était un désert, la plaine d'Europe centrale après Attila. Un crâne poli, « tel un diamant », selon l'heureuse expression en usage au Tibet, pays de poètes.

Un bel après-midi d'été, Gongjing était assis à l'ombre de sa terrasse, prenant le frais devant une jarre de bon vin, quand il vit dans la rue un maître barbier, qu'il connaissait de réputation : Agabunda. Ce dernier se hâtait, sans un regard pour le gouverneur.

« Comment oses-tu, manant ? s'écria Gongjing, passer devant moi sans me saluer, en faisant insolemment tinter les grelots de ton cheval ?

— Pardonnez-moi, seigneur, dit Agabunda, c'est que je suis pressé, on m'attend chez un magistrat de la ville. Je dois aujourd'hui même lui planter des cheveux !

— Comment cela, lui planter des cheveux ? fit Gongjing.

— Eh bien oui, seigneur ! Ne savez-vous pas, ajouta Agabunda avec un rien d'impatience, que l'on plante des cheveux, comme on plante des navets ? C'est un travail fort bien payé, l'on m'attend, et je ne voudrais pas...

— Holà, holà ! fit Gongjing, je suis le gouverneur de la province, et je dois être servi le premier ! Monte sur la terrasse, tu vas me planter des cheveux !

— Mais, seigneur, gémit Agabunda, que va dire le noble Ojida ? Il va me faire fouetter...

— Cesse de discuter, et monte immédiatement, ou je te fais appréhender par mes gardes ! »

Agabunda prit un air résigné, il arrêta sa carriole, attacha son cheval, et grimpa sur la terrasse, après s'être muni d'une lourde sacoche. Il salua très bas le gouverneur, prit place sur un tabouret, installa sur ses genoux une peau de mouton polie. Ensuite, il saisit un poinçon, dont il vérifia soigneusement l'ardillon, enfin, il empoigna une touffe de poils de yack. Gongjing observait ces préparatifs avec un peu d'inquiétude :

« Attention à toi si tu ne me plantes pas convenablement des cheveux, menaça-t-il, à tout hasard.

— Je suis un expert en ce domaine, assura Agabunda. Ne vous faites aucun souci, et maintenant, posez s'il vous plaît votre tête sur la peau de mouton polie ! »

Le gouverneur s'exécuta.

Agabunda, d'un geste vif, saisit son poinçon et perça le crâne glabre du gouverneur :

« Aïïe ! Que fais-tu donc ? s'écria Gongjing.

— Ne bougez pas, seigneur, fit Agabunda, ne vous ai-je pas dit, que pour planter des navets, il fallait d'abord creuser un trou dans la terre ? »

Il prit une grosse touffe de poils de yack, les disposa avec soin dans le trou qu'il venait de forer dans le crâne. Il les arrangea un moment avec le coup d'œil de l'artiste. Enfin satisfait, il reprit son poinçon, et recommença :

« Aïïe... Aïïe... Aïïe... hurla Gongjing.

— Cessez de vous agiter ainsi, le gronda Agabunda. Comment voulez-vous que je travaille dans ces conditions ? »

Le gouverneur releva un peu la tête, et questionna presque timidement :

« Dis-moi, Agabunda, combien dois-tu percer de trous dans mon crâne pour obtenir une coiffure convenable ?

— Hum ! fit Agabunda, je ne sais pas exactement, vous avez une grosse tête... disons... une petite centaine.

— Cent trous ! s'exclama Gongjing, horrifié. Ce n'est pas possible, je n'y survivrai pas !

— Enfin, seigneur, dit Agabunda d'une voix sévère, j'aimerais bien savoir ce que vous voulez. Vous vous conduisez comme un enfant capricieux ! Parmi ceux que j'ai eu l'honneur de servir, plus d'un quart a survécu... Voyons, fit-il en comptant sur ses doigts, oui... c'est bien cela, si j'inclus le marchand de poissons, qui est demeuré sourd et aveugle, mais c'était un regrettable accident et...

— Cela suffit ! protesta Gongjing en se relevant brusquement. Je préfère la vie aux cheveux.

— Comme vous voudrez, seigneur », fit Agabunda en s'inclinant très bas.

Et il s'en alla...

« Maître, pourquoi nous contez-vous cette histoire ? demanda le plus hardi des pratiquants de Zen.

— Chacun de vous ne cesse de m'interroger pour savoir s'il connaîtra l'Éveil, s'il verra la Lumière de Bouddha. Mais voulez-vous réellement entrer dans la *voie* ? Voulez-vous vraiment que je plante le Zen dans vos têtes frivoles ? » conclut-il d'une voix terrible.

Les disciples se taisaient.

Car toute spiritualité authentique exige que l'on meure à soi-même, et le Zen, le bonheur zen dans sa plénitude, n'est accordé qu'à ceux qui se dépouillent de toute ambition, de tout bien, comme fit le moine Ryōkan. Mais que nul ne se désespère, car le Zen accorde un peu de sa lumière et de sa paix à tous ceux qui se sont mis en chemin.

Notes

1. L'*Atma*, ou *atman*, est un mot sanscrit qui désigne l'Absolu, l'Infini, l'Illimité, l'Éternel, l'unique Réalité.

2. Aujourd'hui, province de Hou-Pei.

3. Trad. fr. inédite de Cheng Wing Fun et Hervé Collet.

4. Isabelle Coursin, *Le Goût du zen*, Gallimard, coll. « Le Promeneur », 1993.

5. Edo : « Porte de la baie », ancien nom de la cité de Tokyo, utilisé de 1180 à 1868.

6. Li : mesure itinéraire chinoise : environ 576 mètres.

7. Les « quatre incommensurables » (shiguseigan) ou les « quatre grands vœux universels » :

Si nombreux soient les êtres vivants, je fais le vœu de les sauver tous.

Si nombreuses soient les passions mauvaises, je fais le vœu de les vaincre toutes.

Si nombreux soient les dharmas *(lois), je fais le vœu de les accomplir tous.*

Si parfaite soit la loi de Bouddha, je fais le vœu de la réaliser.

8. Haïku de Bashô, traduit par Philippe Jaccottet in *Haïku*, Fata Morgana, 1996.

9. Haïku de Issa, traduit par Philippe Jaccottet in *Haïku*, Fata Morgana, 1996.

10. L'époque de Heïan (Xe et XIe siècles), période de grand épanouissement des arts et des lettres, que l'on a comparée au siècle de Louis XIV.

11. *Koan* : énigme que l'on donne à résoudre à un disciple pour l'aider à « s'éveiller », à comprendre directement la profondeur du Zen. Il existe de célèbres recueils de koans, entre autres le *Mumonkan* (La porte sans porte) et le *Hekiganroku* (Recueil de la falaise bleue).

12. Bodhisattva : un être qui renoue momentanément avec le Nirvana pour aider tous les êtres qui souffrent sur le chemin de la délivrance. Souvent appelé « le héros de l'Éveil », un homme qui a franchi la « porte sans porte », et qui accepte de rester parmi les hommes par compassion.

13. Maître Eckhart (1260-1327), cité par D. T. Suzuki in *Les Chemins du Zen*, trad. fr. par Vincent Bardet, Albin Michel, 1995, p. 196.

14. Rabelais, *Gargantua* (1534), ch. XXI. Jacques Almain était un docteur scolastique en Sorbonne. Plaisanterie d'étudiants qui s'amusaient à confondre le nom de leur professeur et « à la main ». Le « peigne de Almain » revenait à se peigner avec les doigts. In *Œuvres complètes*, Gallimard, coll. « Bibliothèque de la Pléiade », 1978, p. 62.

15. Gérard de Nerval, *Fantaisie*, in *Les Plus Belles Pages de la poésie française*, Sélection du Reader's Digest, 1982, p. 410.

Table des matières

579

Composition P.C.A.
Achevé d'imprimer en Allemagne (Pössneck)
en juillet 2003 pour le compte de E.J.L.
84, rue de Grenelle 75007 Paris
Dépôt légal juillet 2003.
1er dépôt légal dans la collection : février 2003
Diffusion France et étranger : Flammarion